'사고력수학의 시작'

팡세

P4

7세 | 카운팅

사고력 수학을 묻고 팡세가 답해요

Q: 사고력 수학은 '왜' 해야 하나요?

사고력 수학은 아이에게 낯선 문제를 접하게 함으로써 여러 가지 문제 해결 방법을 아이 스스로 생각하게 하는 것에 목적이 있어요. 정석적인 한 가지 풀이법만 알고 있는 아이는 결국 중등 이후에 나오는 응용 문제에 대한 해결력이 현저히 떨어지게 되지요. 반면 사고력 수학을 통해 여러 가지 풀이법을 스스로 생각하고 알아낸 경험이 있는 아이들은 한 번 막히는 문제도 다른 방법으로 뚫어낼 힘이 생기게 된답니다. 이러한 힘을 기르는 데 있어 사고력 수학이 가장 크게 도움이 된다고 확신해요.

Q: 사고력 수학이 '필수'인가요?

No but Yes! 초등 수학에서 가장 필수적인 것은 교과와 연산이지요. 또 중등에서의 서술형 평가를 대비하기 위한 서술형 학습과 어려운 중등 도형을 헤쳐나가기 위한 도형 학습 정도를 추가하면 돼요. 사고력 수학은 그 다음으로 중요하다고 할 수 있어요. 다만 만약 중등 이후에도 상위권을 꾸준하게 유지하겠다고 하시면 사고력 수학은 필수랍니다.

Q: 사고력 수학, 꼭 '어려운' 문제를 풀어야 하나요?

No! 기존의 사고력 수학 교재가 어려운 이유는 영재교육원 입시 때문이었어요. 상위권 중에서도 더 잘하는 아이, 즉 영재를 골라내는 시험에 사고력수학 문제가 단골로 출제되었고, 이에 대비하기 위해 만들어진 것이 초창기 사고력 수학 교재이지요. 하지만 모든 아이들이 영재일 수는 없고, 또 그래야할 필요도 없어요. 사고력 수학으로 영재를 확실하게 선별할 수 있는 것도 아니에요. 따라서 사고력 수학의 원래 목적, 즉 새로운 문제를 풀 수 있는 능력만 기를 수 있다면 난이도는 중요하지 않답니다. 오히려 어려운 문제는 수학에 대한 아이들의 자신감을 떨어뜨리는 부작용이 있다는 점! 반드시 기억해야 해요.

Q: 사고력 수학 학습에서 어떤 점에 '유의'해야 할까요?

가장 중요한 것은 아이가 스스로 방법을 생각할 수 있는 시간을 충분히 주는 거예요. 엄마나 선생님이 옆에서 방법을 바로 알려주거나 해답지를 줘버리면 사고력 수학의 효과는 없는 거나 마찬가지랍니다. 설령 문제를 못 풀더라도 아이가 스스로 고민하는 습관을 가지고, 방법을 찾아가는 시간을 늘리는 것이 아이의 문제해결력과 집중력을 기르는 방법이라고 꼭 새기며 아이가 스스로 발전할 수 있는 가능성을 믿어 보세요.

또 하나 더 강조하고 싶은 것은 문제의 답을 모두 맞힐 필요가 없다는 거예요. 사고력 수학 문제를 백점 맞는다고 해서 바로 성적이 쑥쑥 오르는 것이 아니에요. 사고력 수학은 훗날 아이가 더 어려운 문제를 풀기 위한 수학적 힘을 기르는 과정으로 봐야 하는 거지요. 그러니 아이가 하나 맞히고 틀리는 것에 일희일비하지 말고 우리 아이가 문제를 어떤 방법으로 풀려고 했고, 왜 어려워 하는지 표현하게 하는 것이 훨씬 중요하답니다. 사고력 수학은 문제의 결과인 답보다 답을 찾아가는 과정 그 자체에 의미가 있다는 사실을 꼭! 꼭! 기억해 주세요.

팡세의 구성과 특징

1. 패턴, 퍼즐과 전략, 유추, 카운팅 - 새로운 시대에 맞는 새로운 사고력 영역!
2. 아이가 혼자서도 술술 풀어나가며 자신감을 기르기에 딱 좋은 난이도!
3. 하루 10분 1장만 풀어도 초등에서 꼭 키워야 하는 사고력을 쑥쑥!

일일 소주제 학습

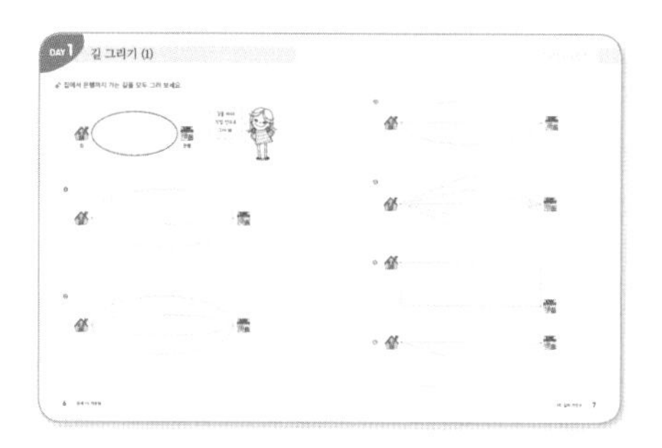

하루에 10분씩
매일 1장씩만
꾸준히 풀면 돼.

주차별 확인학습

5일 동안 배운 것 중
가장 중요한 문제를
복습하는 거야!

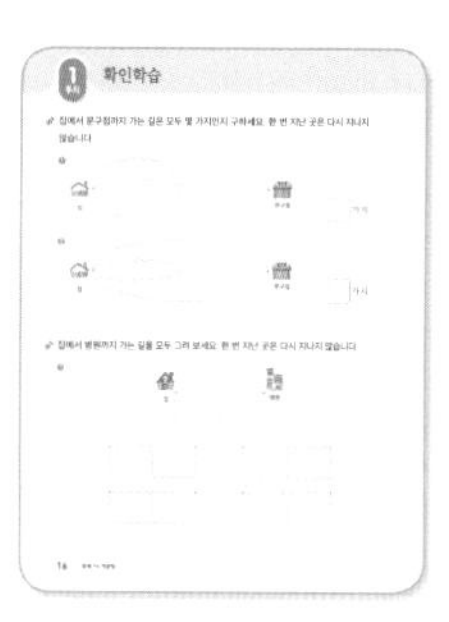

월간 마무리 평가

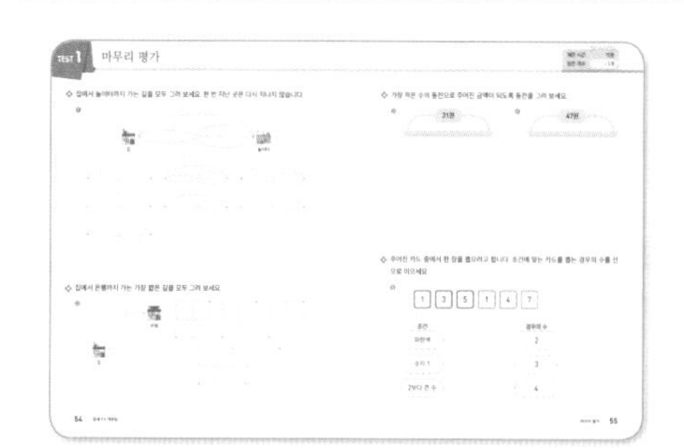

4주 동안 공부한
내용 중 어디가 부족한지
알 수 있다. 삐리삐리~

이 책의 차례

P4

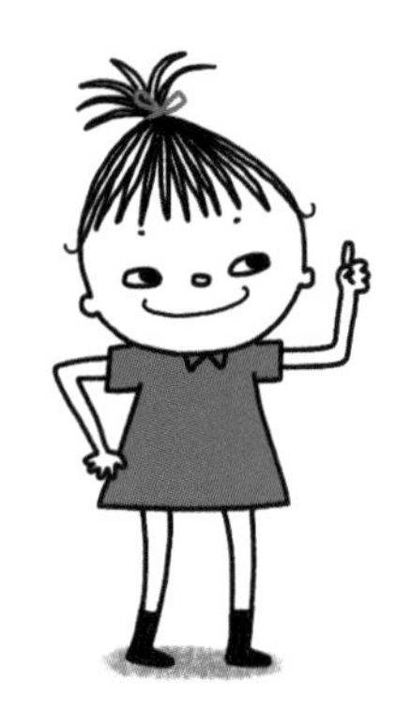

pensées

길의 가짓수

DAY 1 길 그리기 (1)

집에서 은행까지 가는 길을 모두 그려 보세요.

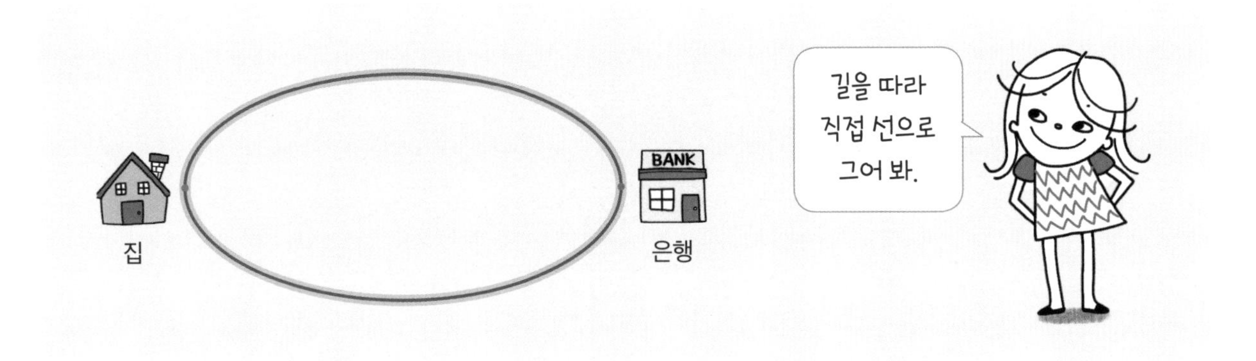

❶

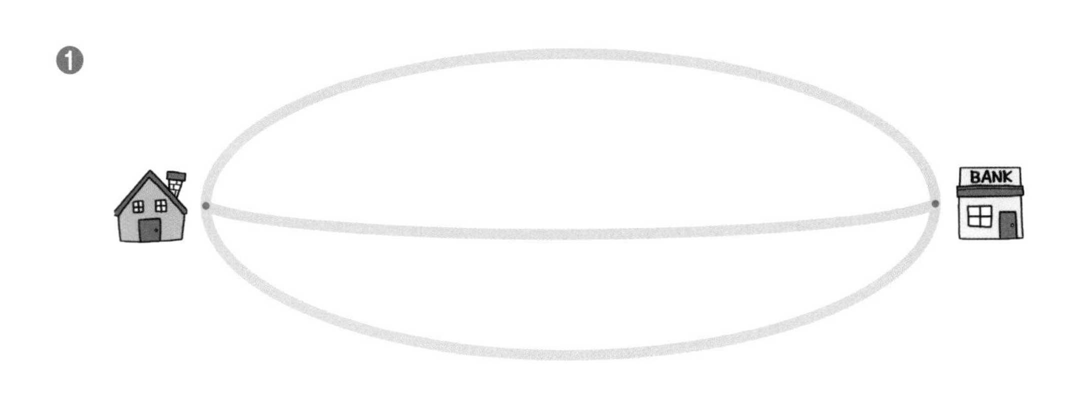

❷

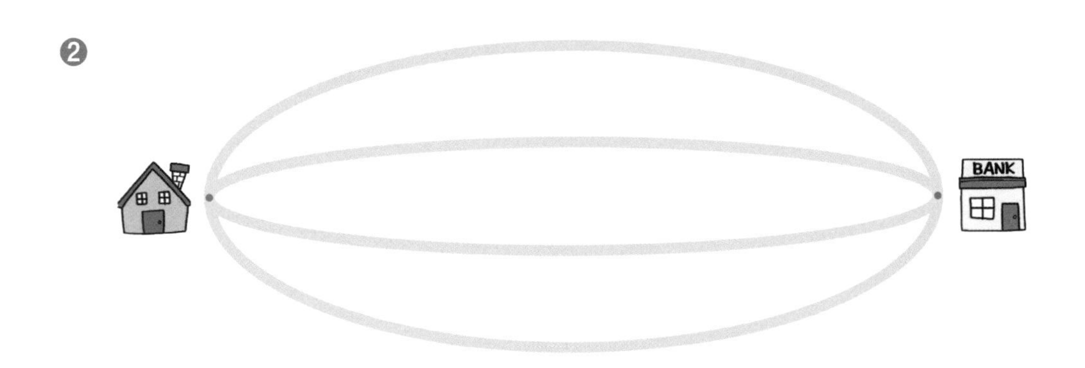

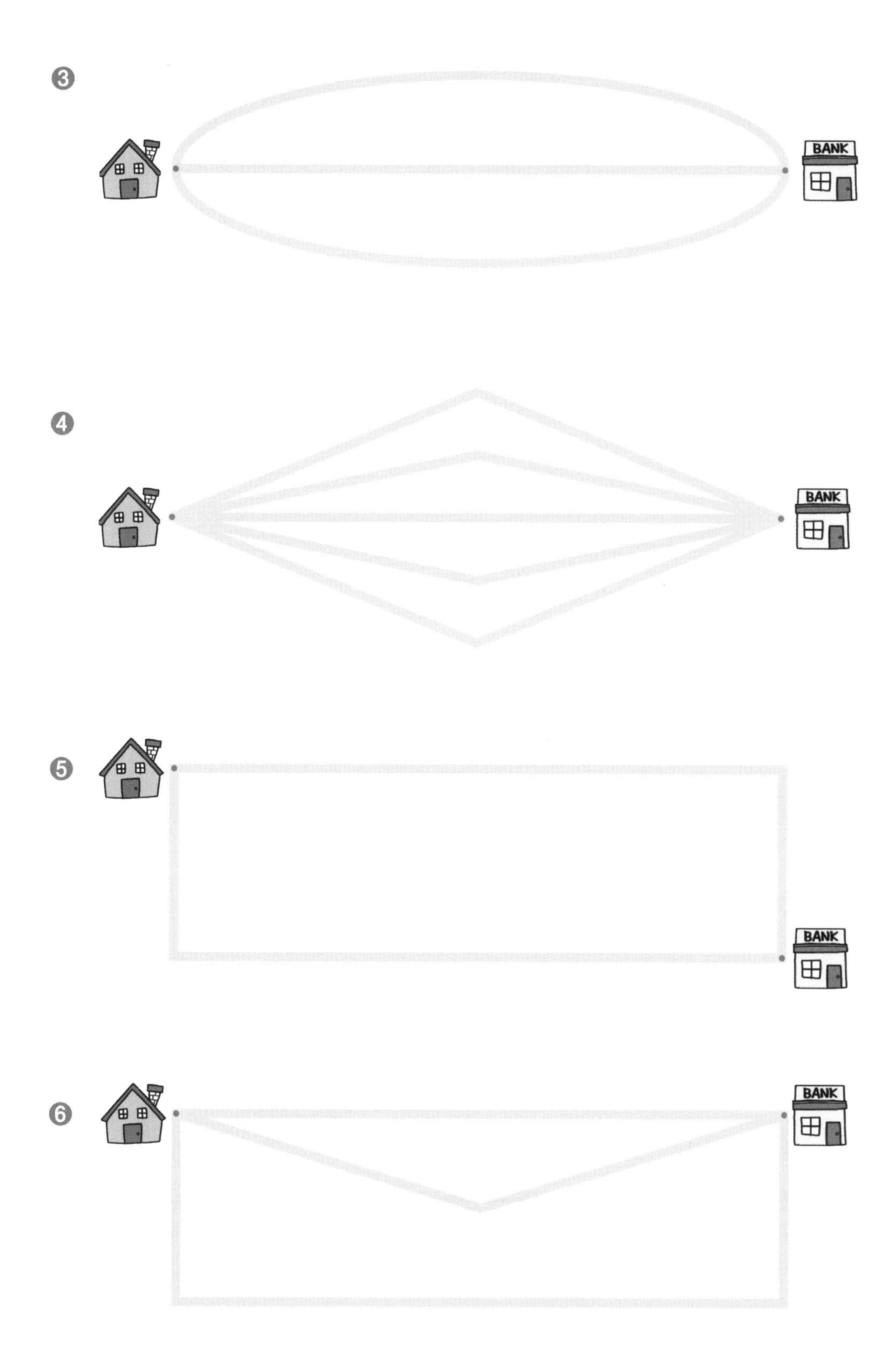
❸
BANK
❹
BANK
❺
BANK
❻
BANK

길의 가짓수 (1)

✎ 집에서 학교까지 가는 길은 모두 몇 가지인지 구하세요.

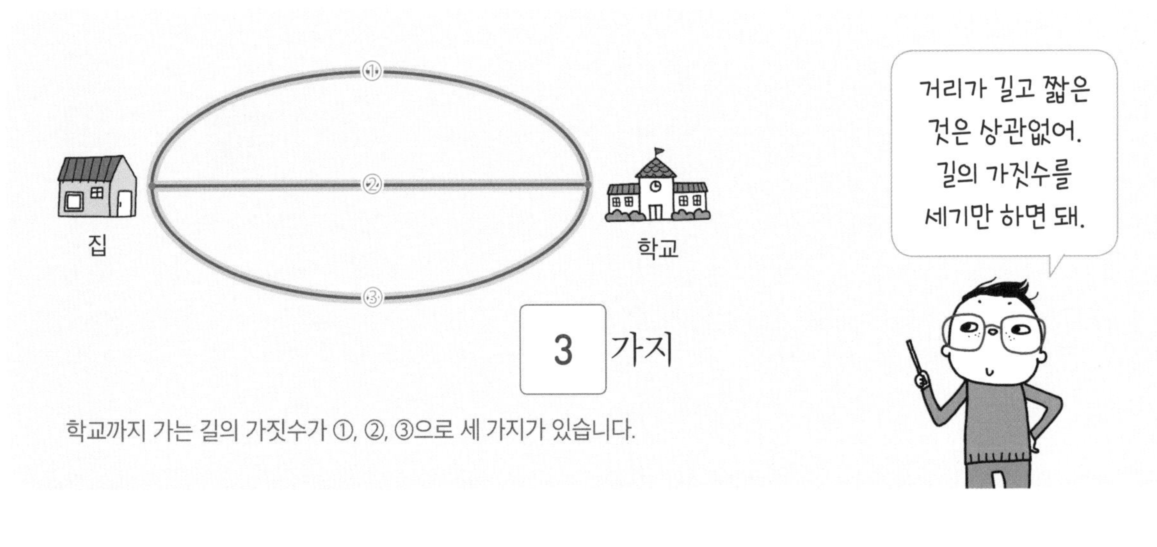

①
②
③
집
학교
3 가지
거리가 길고 짧은 것은 상관없어. 길의 가짓수를 세기만 하면 돼.

학교까지 가는 길의 가짓수가 ①, ②, ③으로 세 가지가 있습니다.

❶

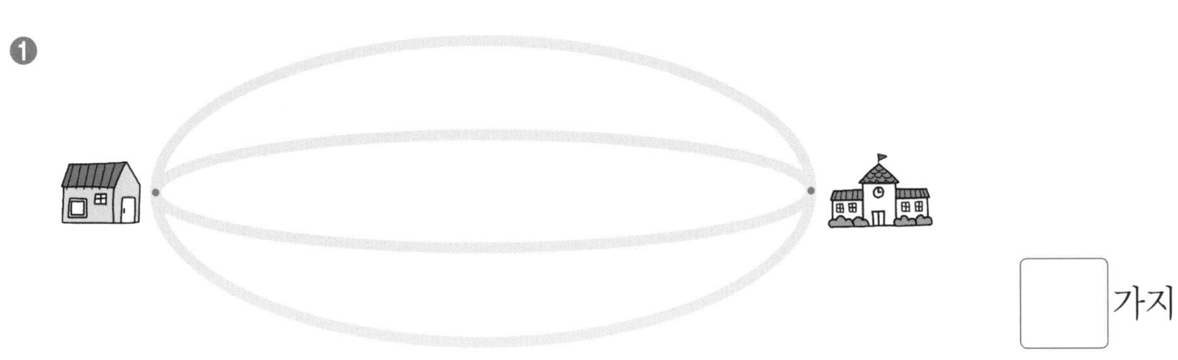

☐ 가지

❷

☐ 가지

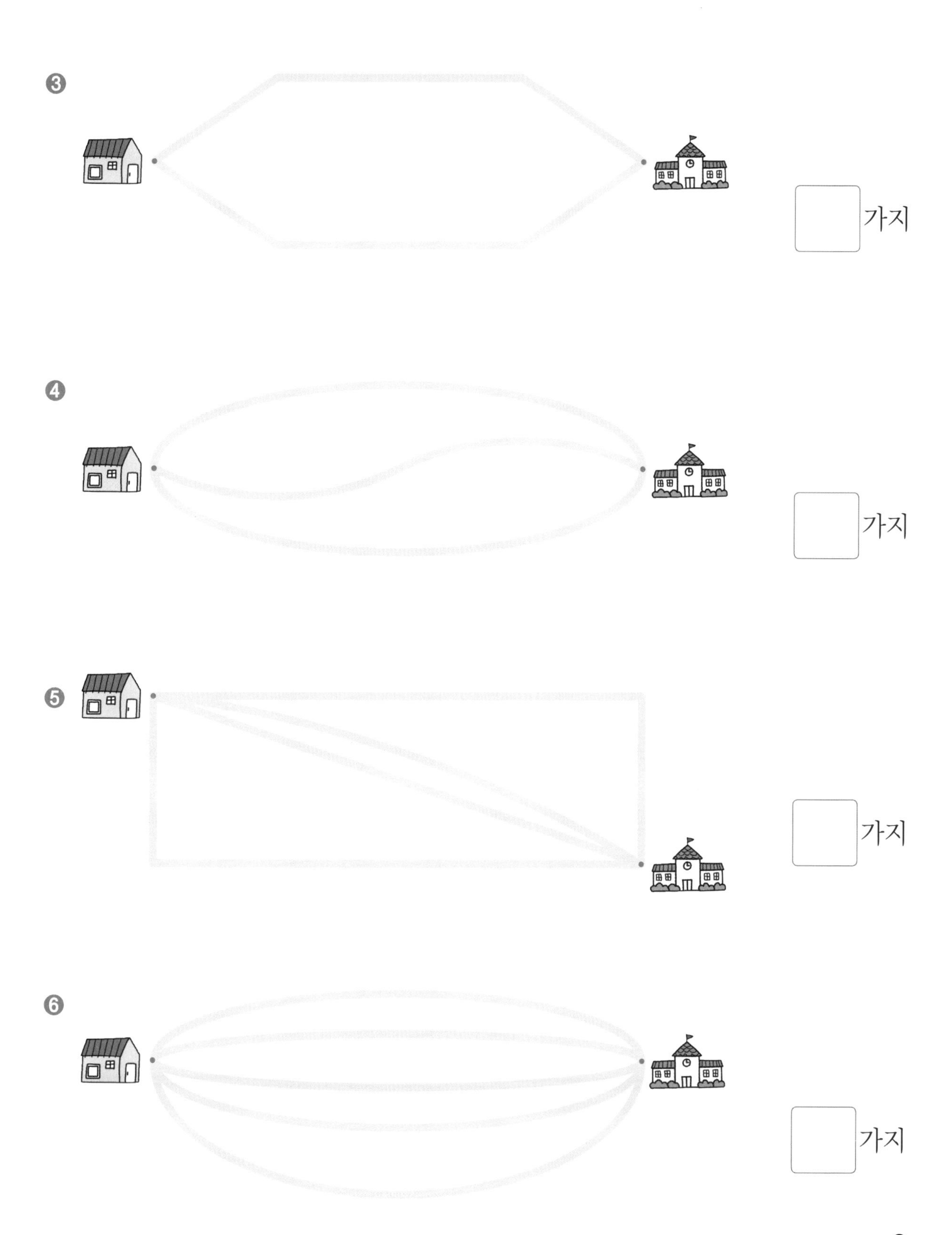
❸
가지
❹
가지
❺
가지
❻
가지

길 그리기 (2)

집에서 놀이터까지 가는 길을 모두 그려 보세요. 한 번 지난 곳은 다시 지나지 않습니다.

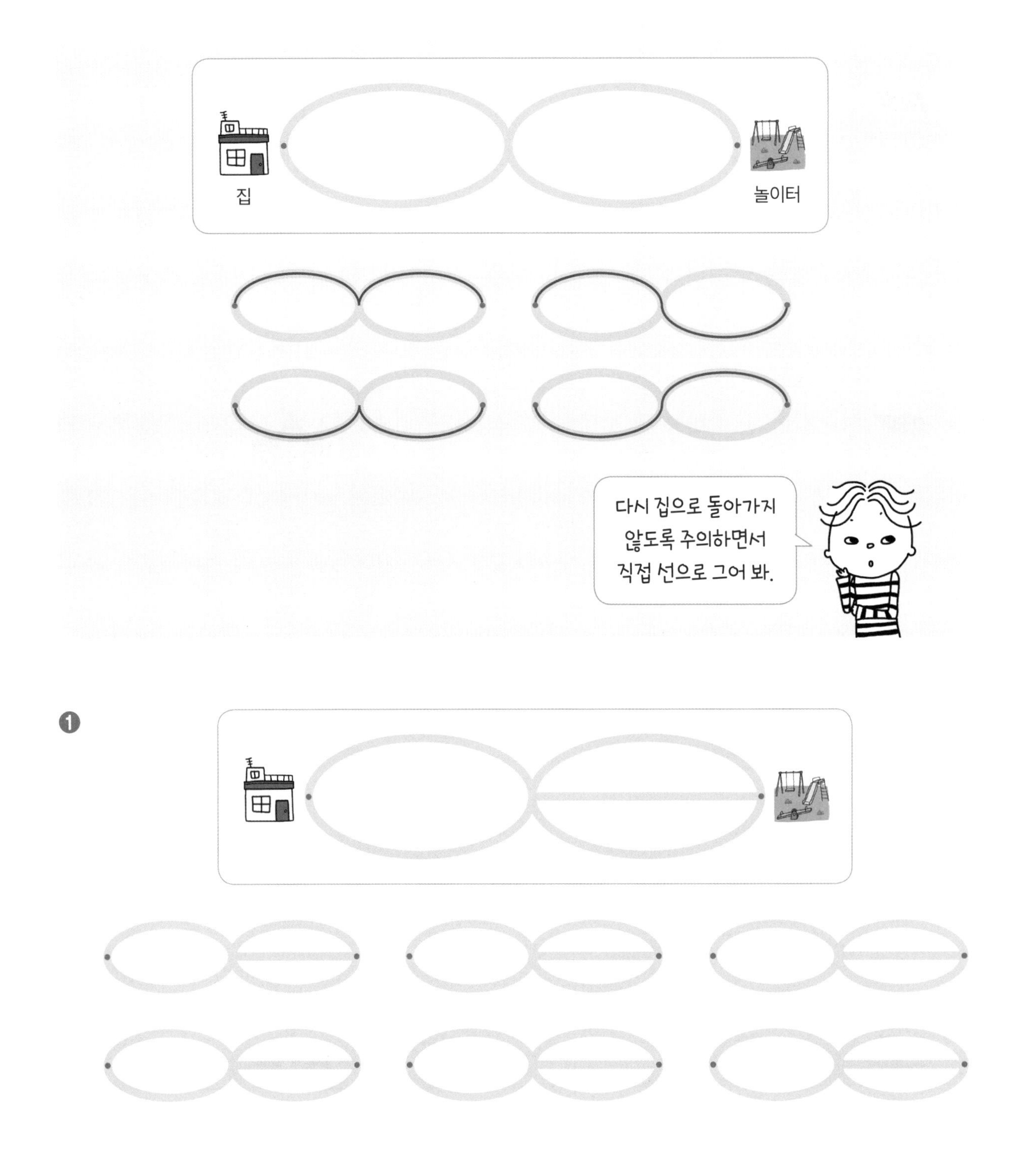

집
놀이터
다시 집으로 돌아가지 않도록 주의하면서 직접 선으로 그어 봐.
❶

❷

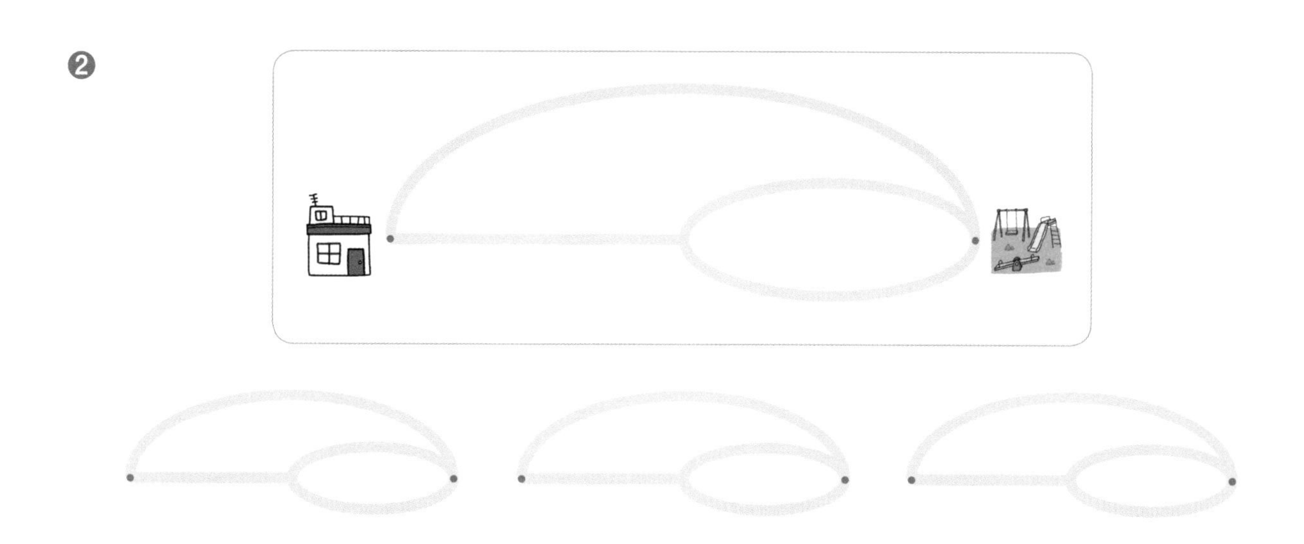

❸

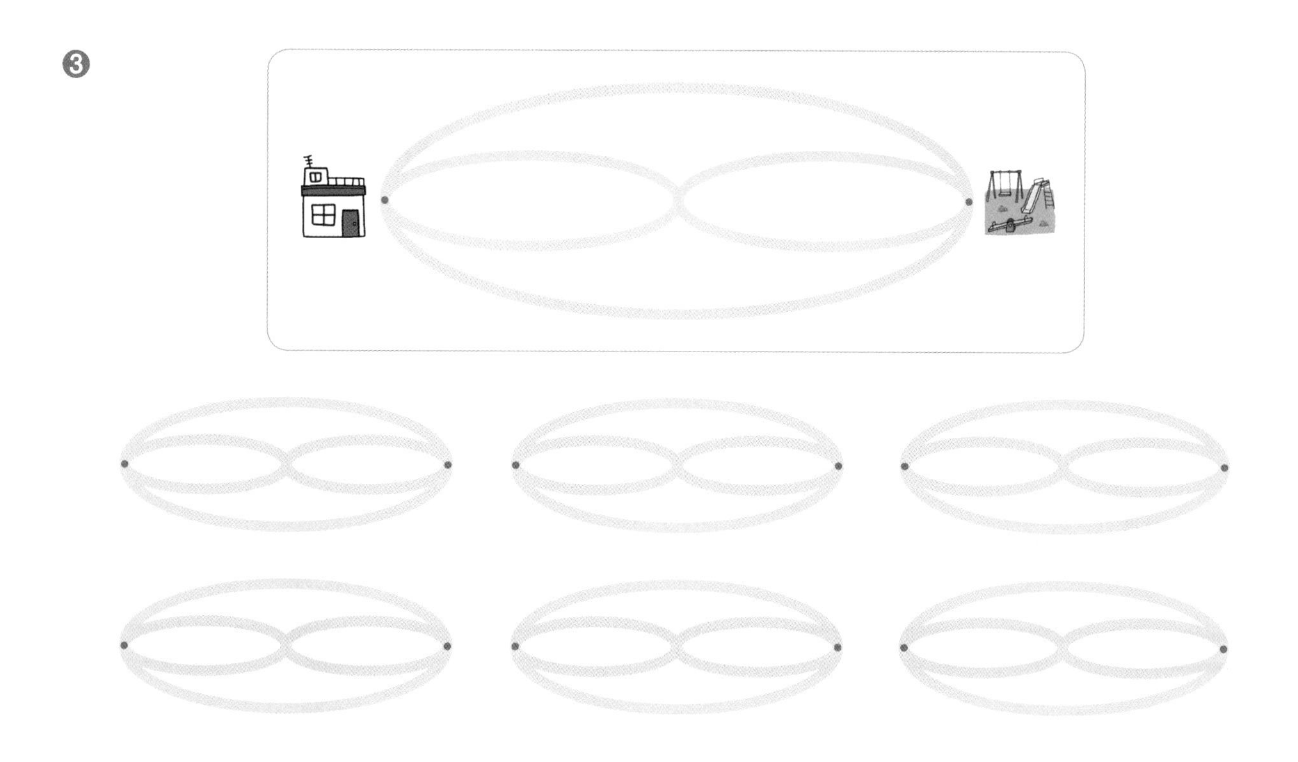

길의 가짓수 (2)

✎ 집에서 문구점까지 가는 길은 모두 몇 가지인지 구하세요. 한 번 지난 곳은 다시 지나지 않습니다.

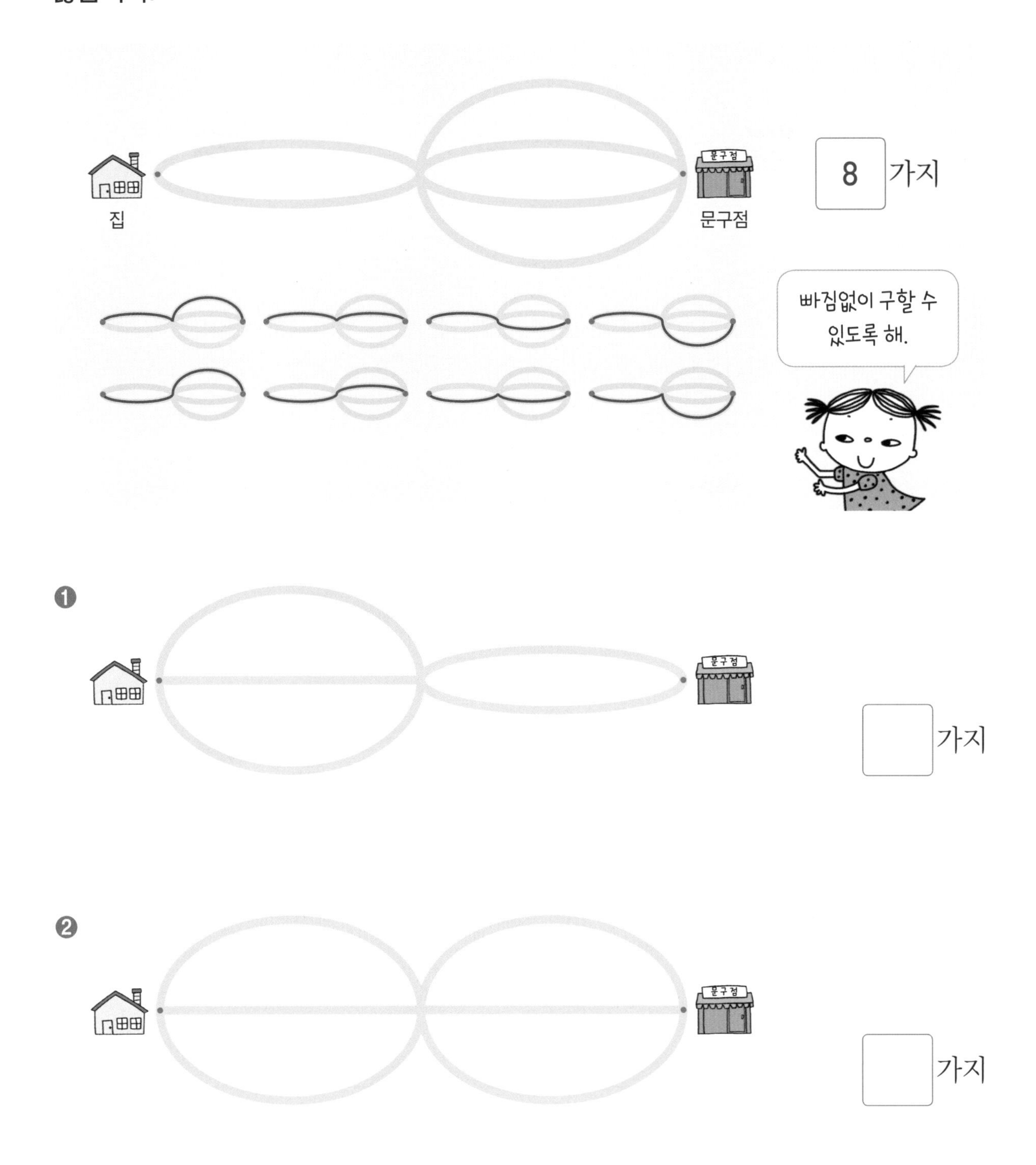

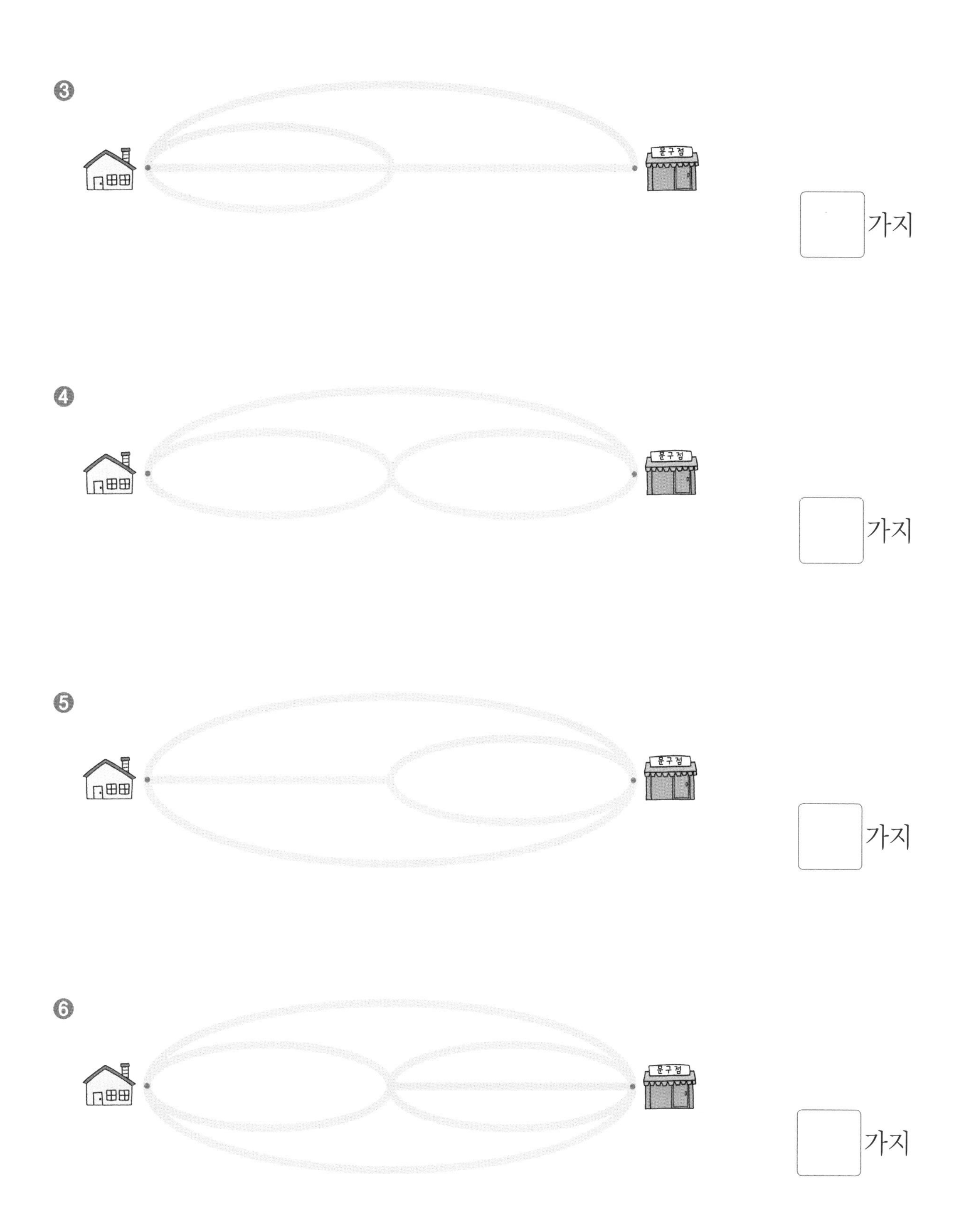
❸
문구점
가지
❹
문구점
가지
❺
문구점
가지
❻
문구점
가지

길의 가짓수 (3)

집에서 병원까지 가는 길을 모두 그려 보세요. 한 번 지난 곳은 다시 지나지 않습니다.

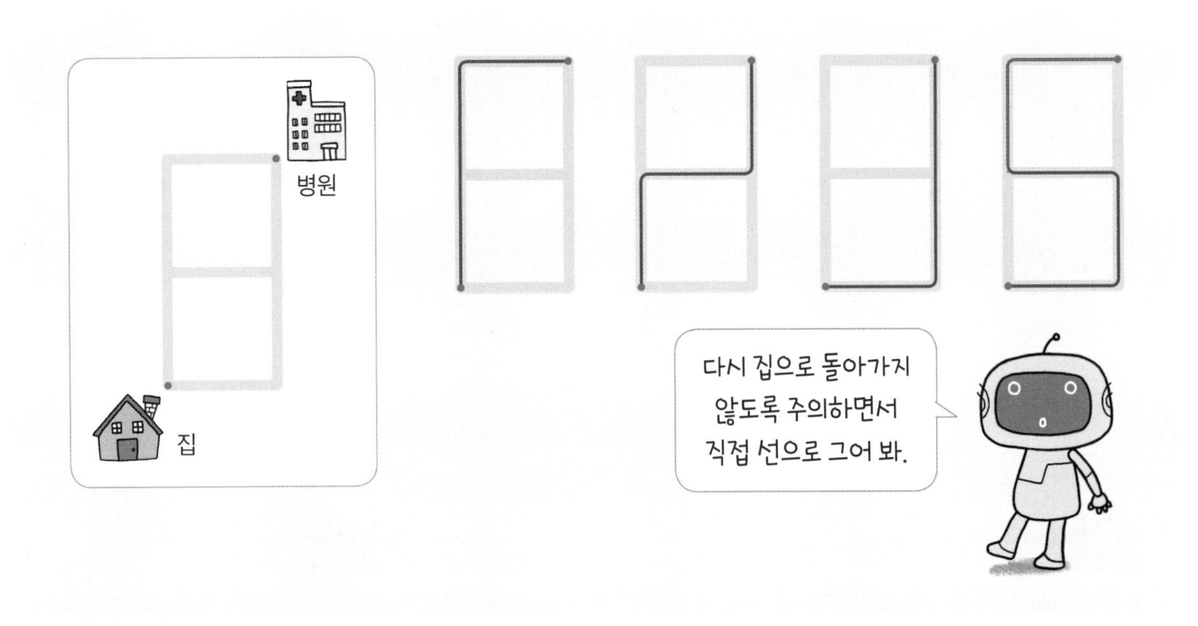

병원
집
다시 집으로 돌아가지 않도록 주의하면서 직접 선으로 그어 봐.

❶

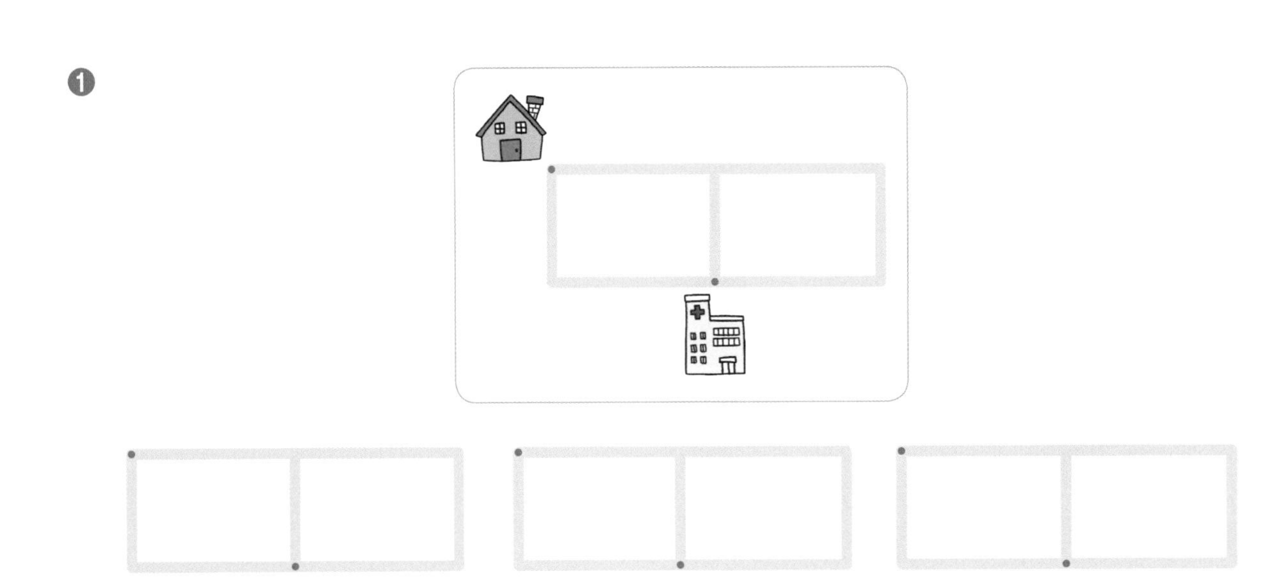

❷

❸

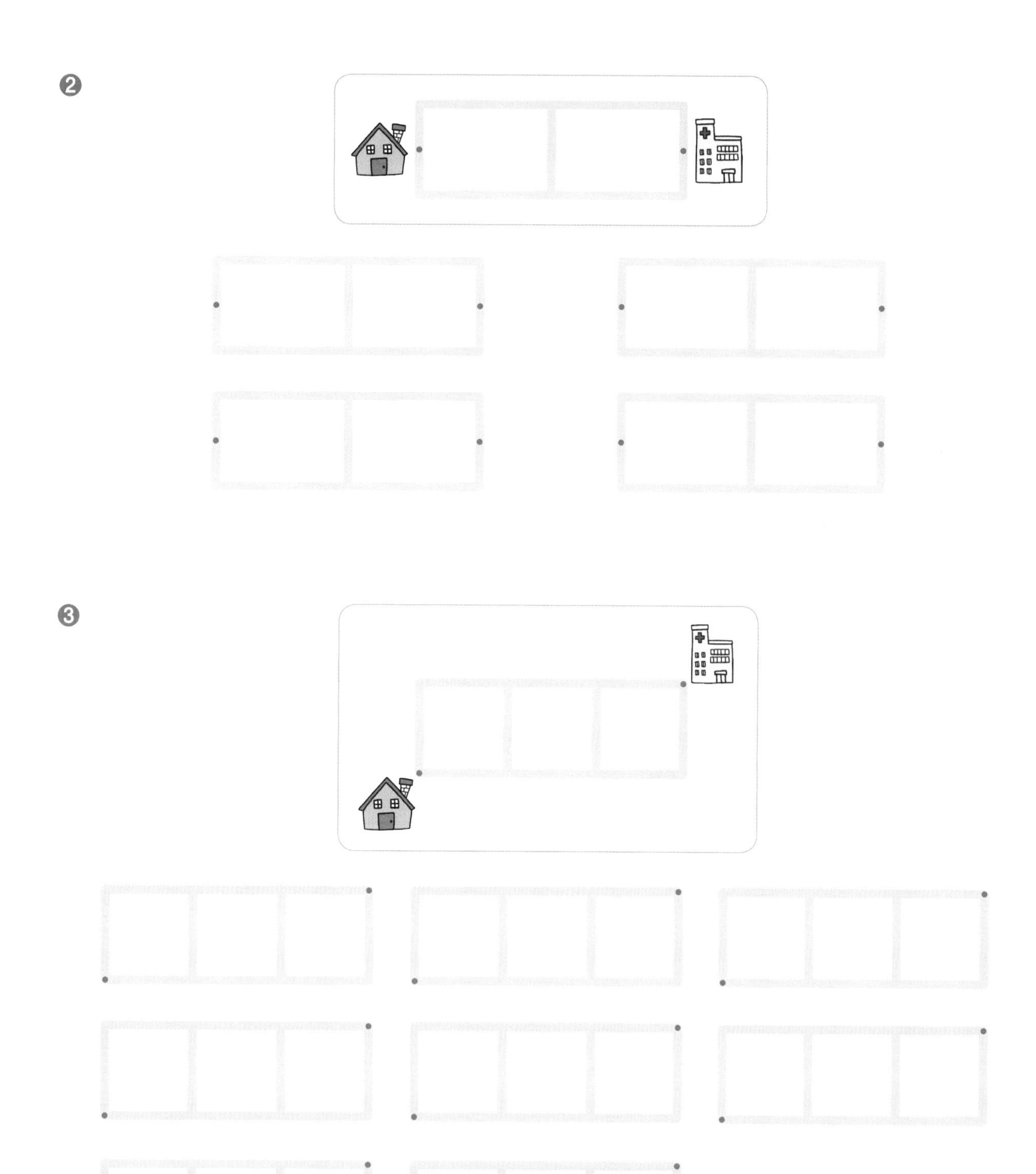

확인학습

집에서 문구점까지 가는 길은 모두 몇 가지인지 구하세요. 한 번 지난 곳은 다시 지나지 않습니다.

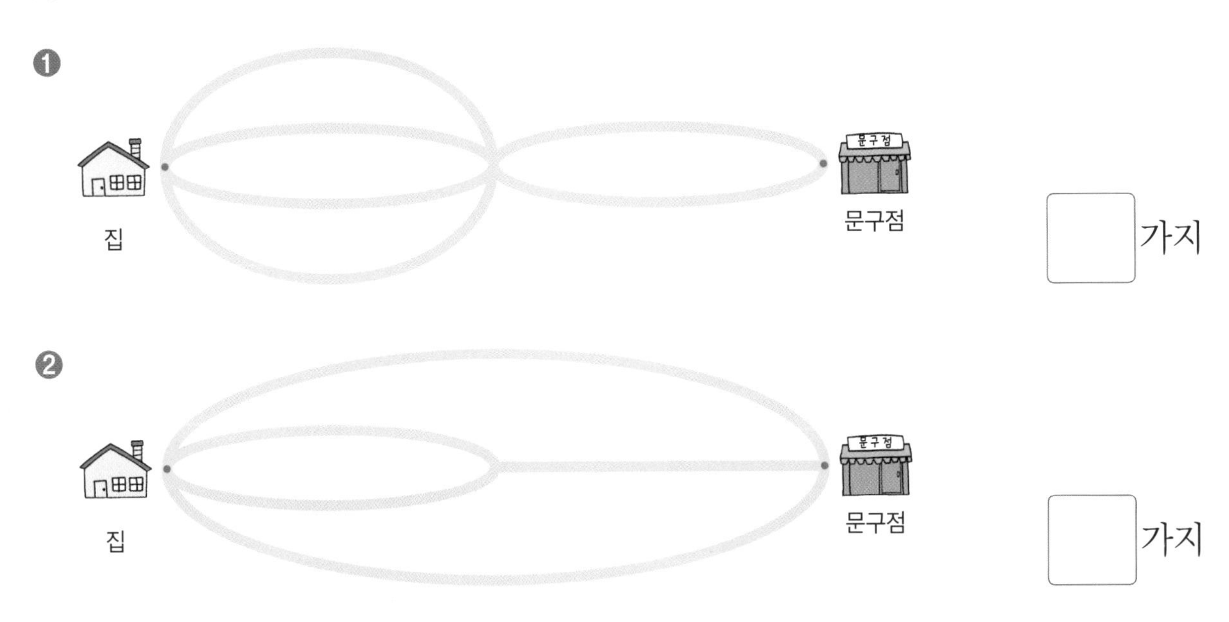

집에서 병원까지 가는 길을 모두 그려 보세요. 한 번 지난 곳은 다시 지나지 않습니다.

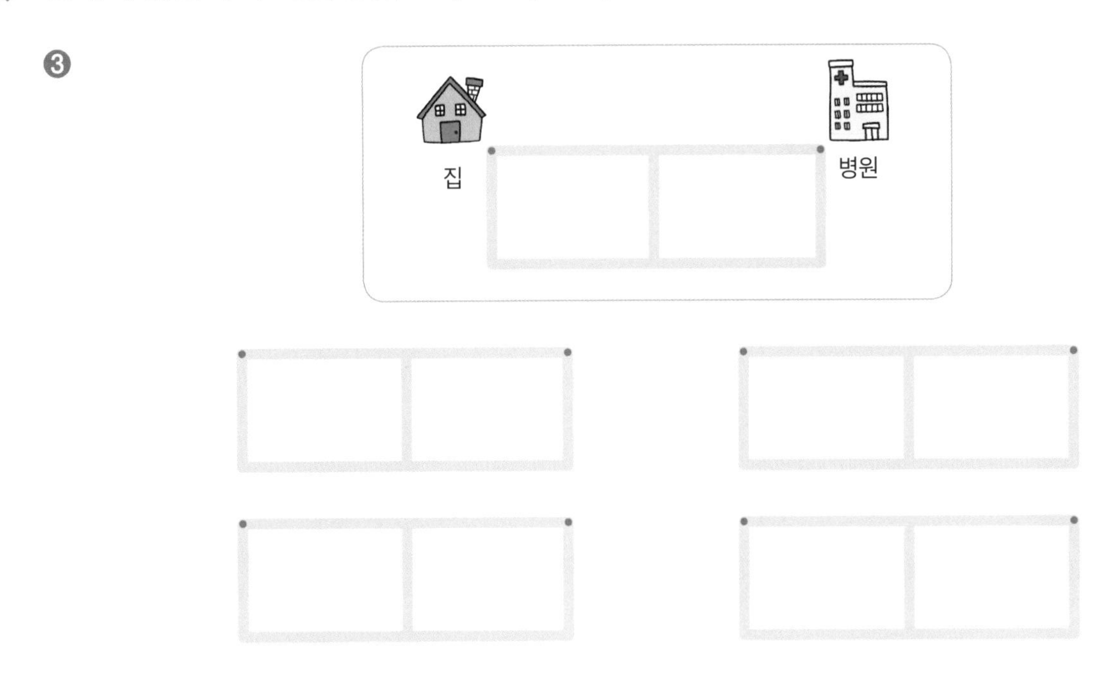

2
주차

가장 짧은 길

칸 수 세기

집에서 학교까지 가는 길을 선으로 나타내었습니다. 몇 칸인지 구하세요.

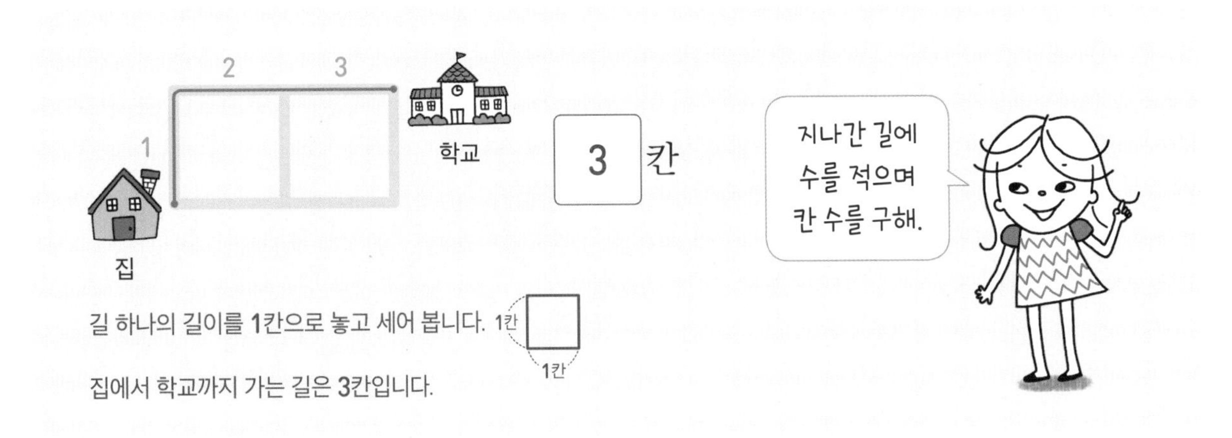

길 하나의 길이를 1칸으로 놓고 세어 봅니다.

집에서 학교까지 가는 길은 3칸입니다.

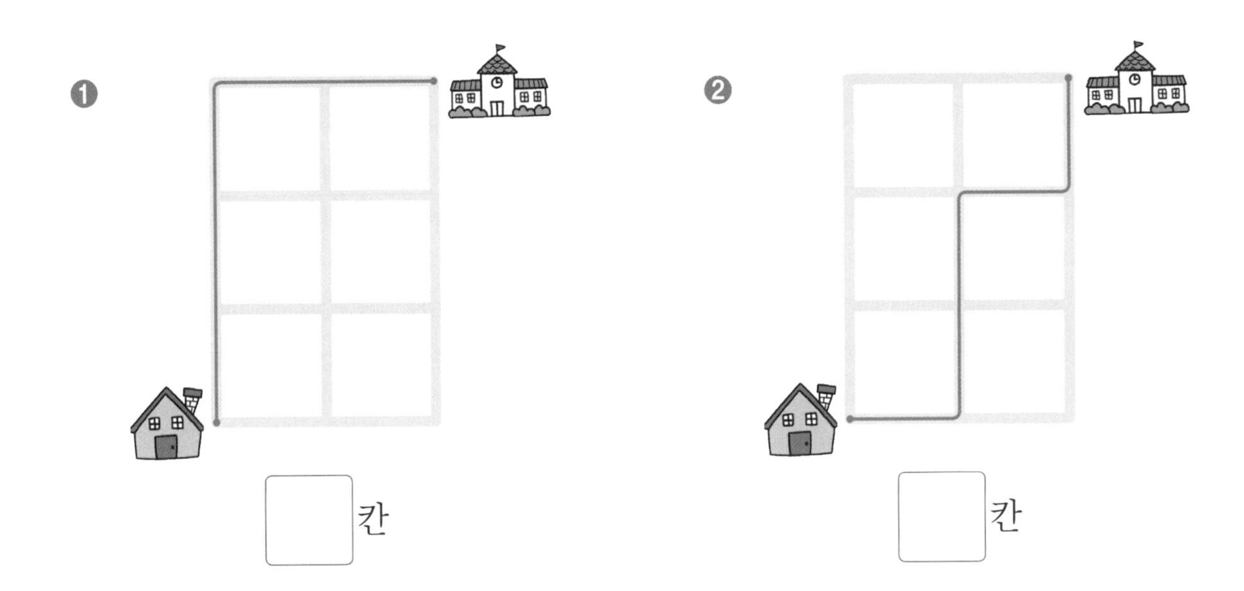

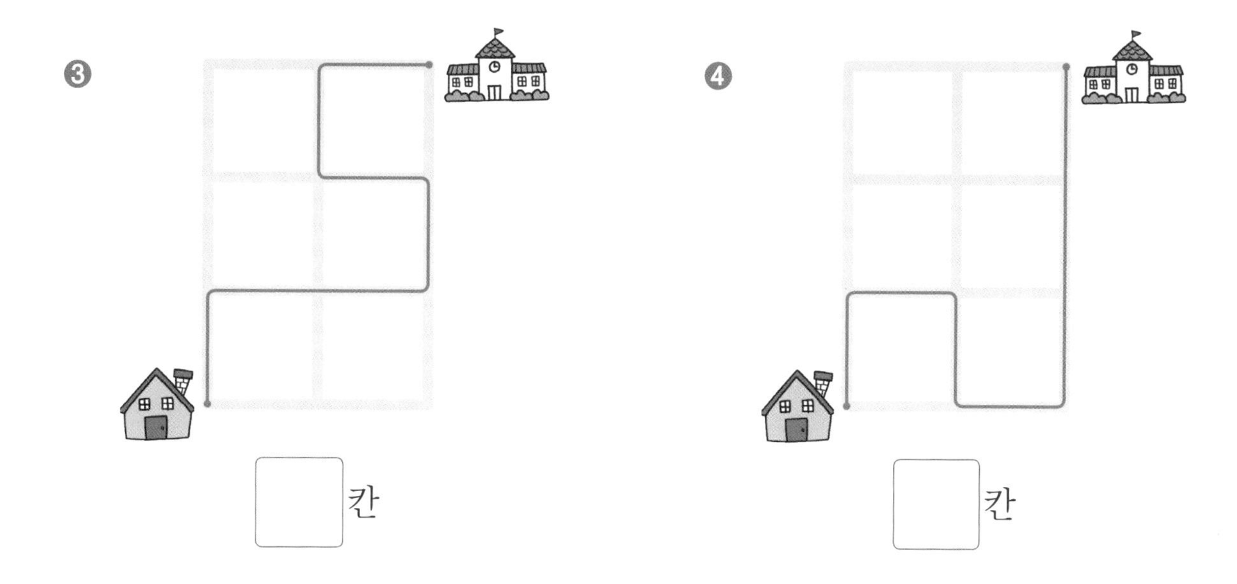
❸
칸
❹
칸

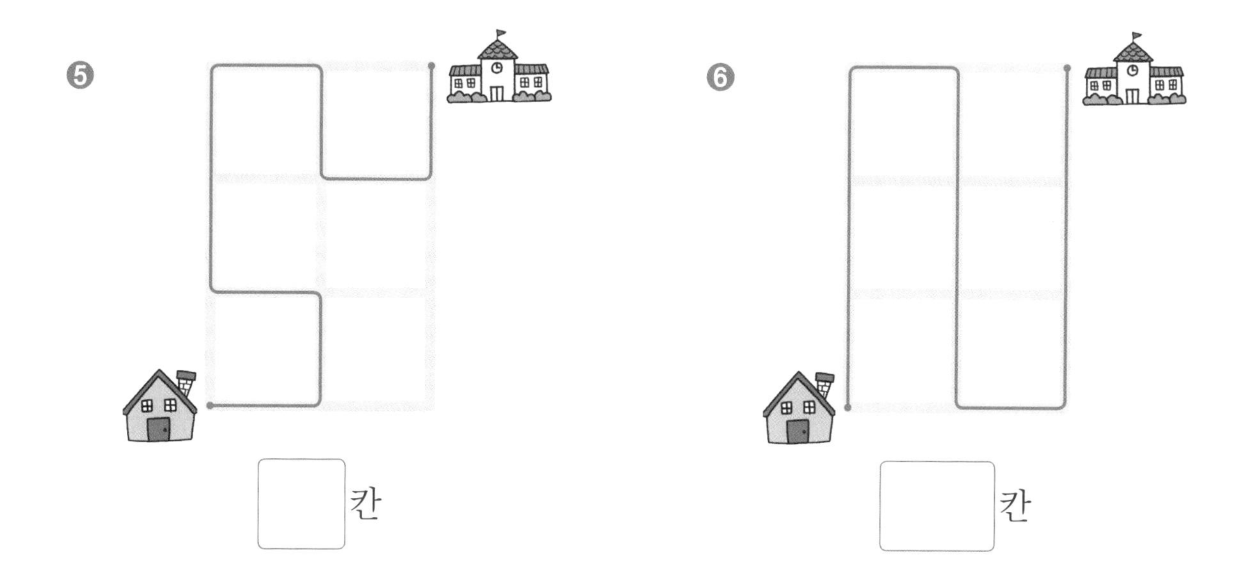
❺
칸
❻
칸

가장 짧은 길 (1)

다음 중 집에서 놀이터까지 가는 가장 짧은 길이 아닌 것에 ×표 하세요.

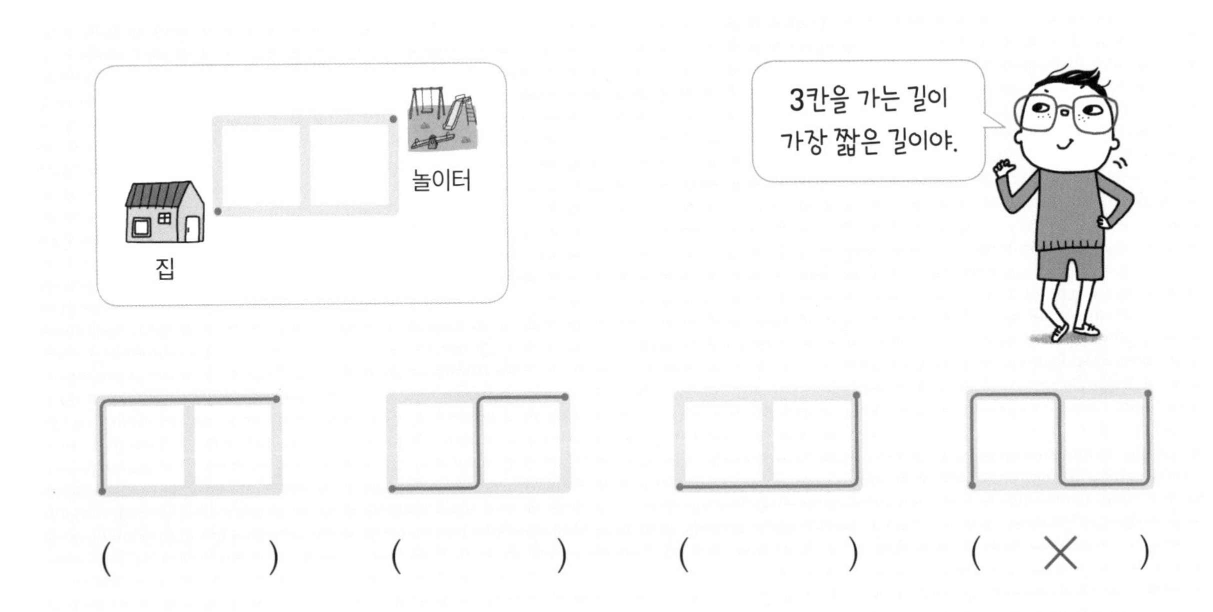

❶

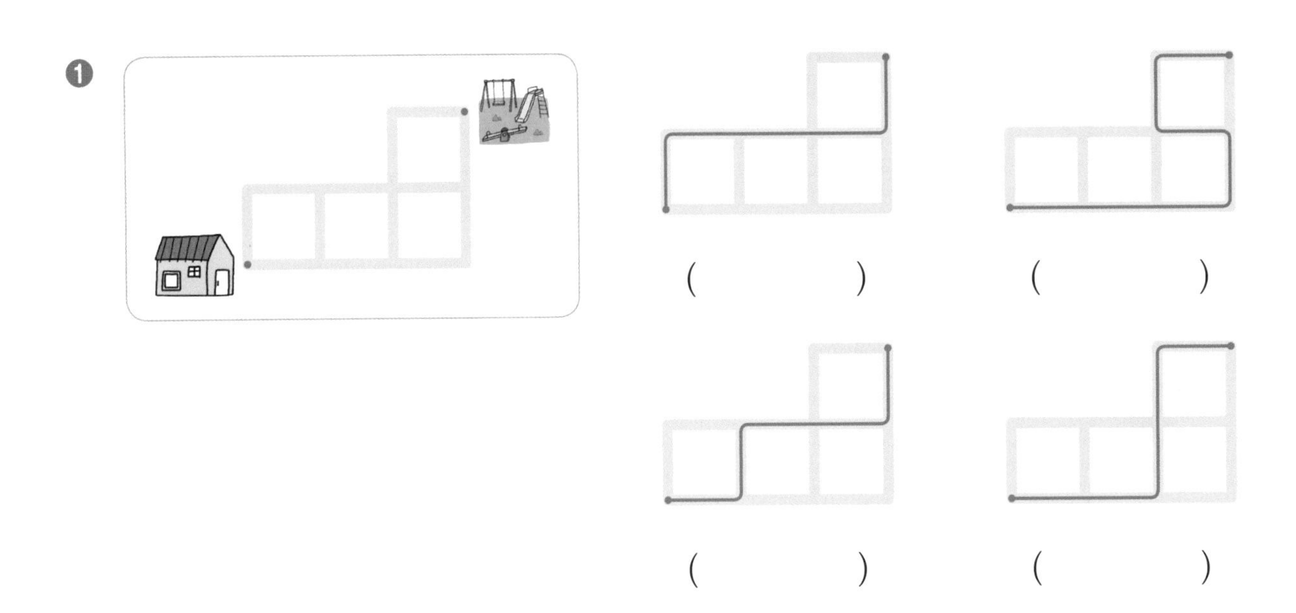

❷

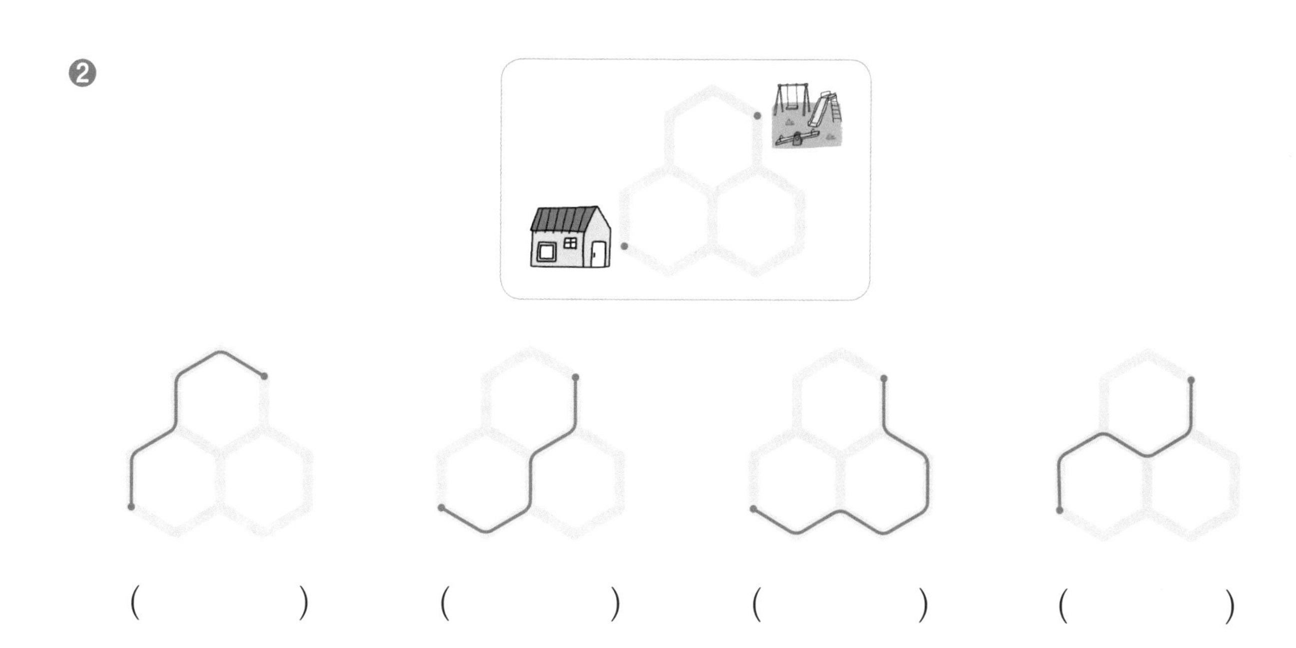

❸

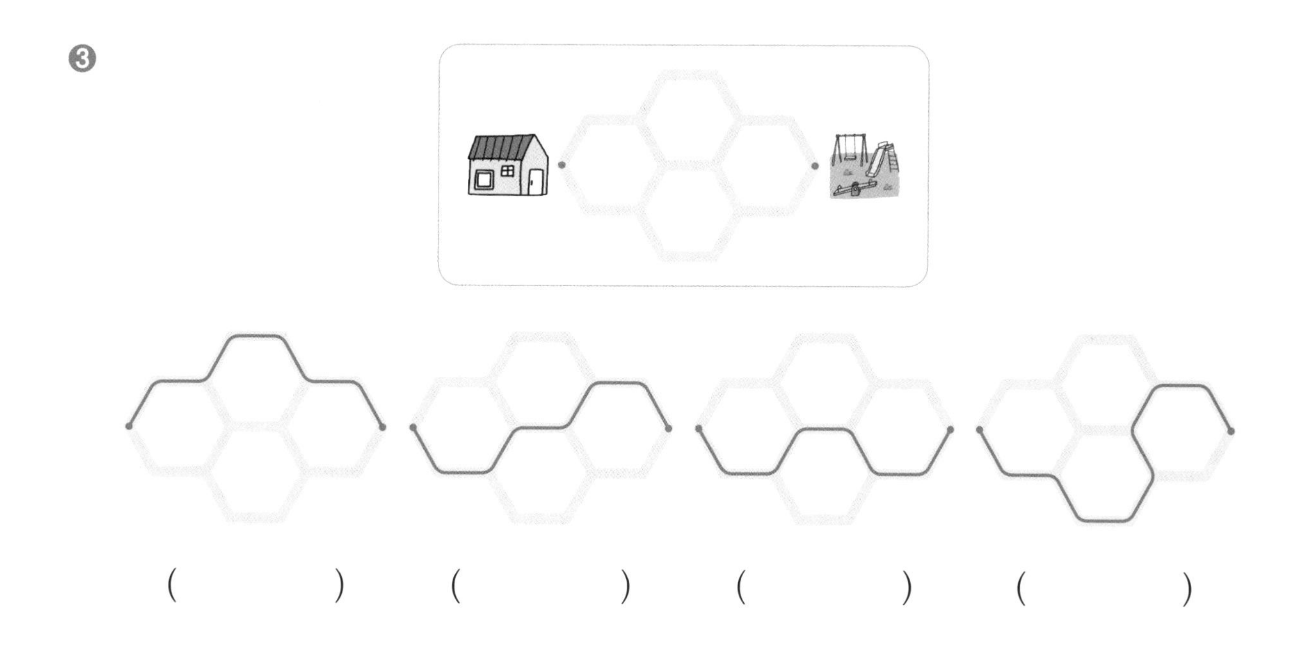

가장 짧은 길 (2)

✎ 집에서 은행까지 가는 가장 짧은 길을 모두 그려 보세요.

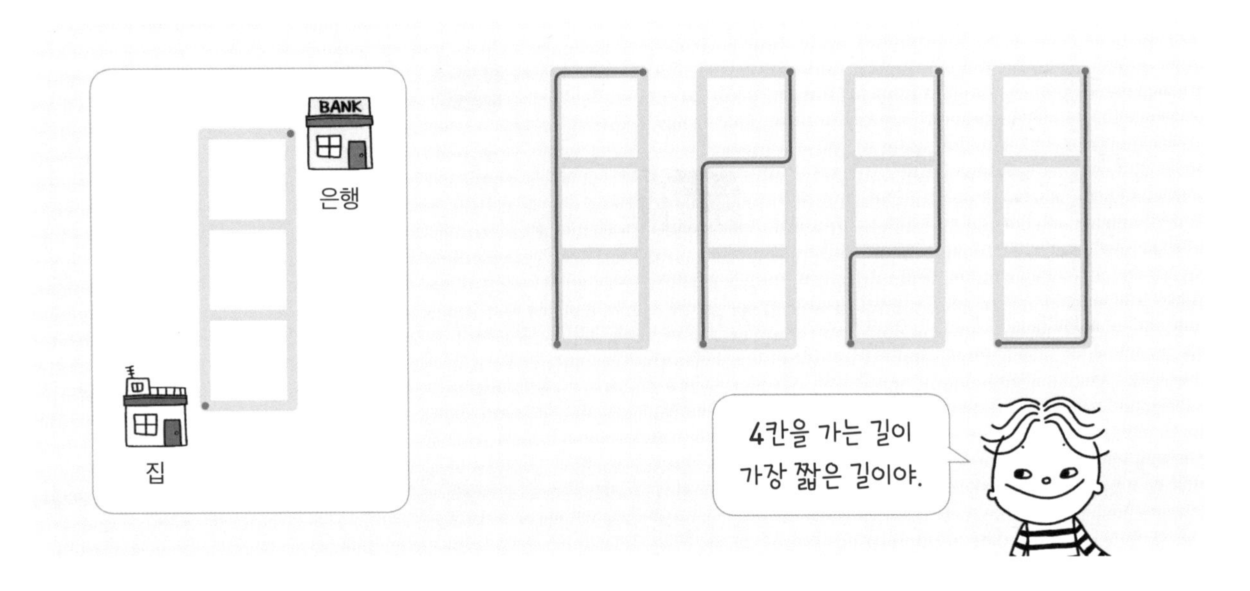

❶

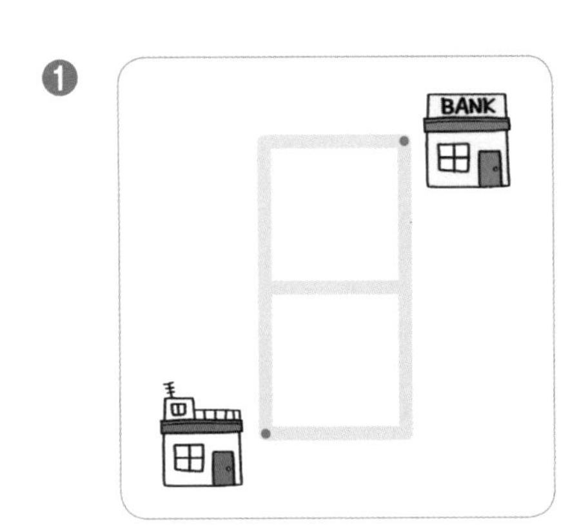

❷

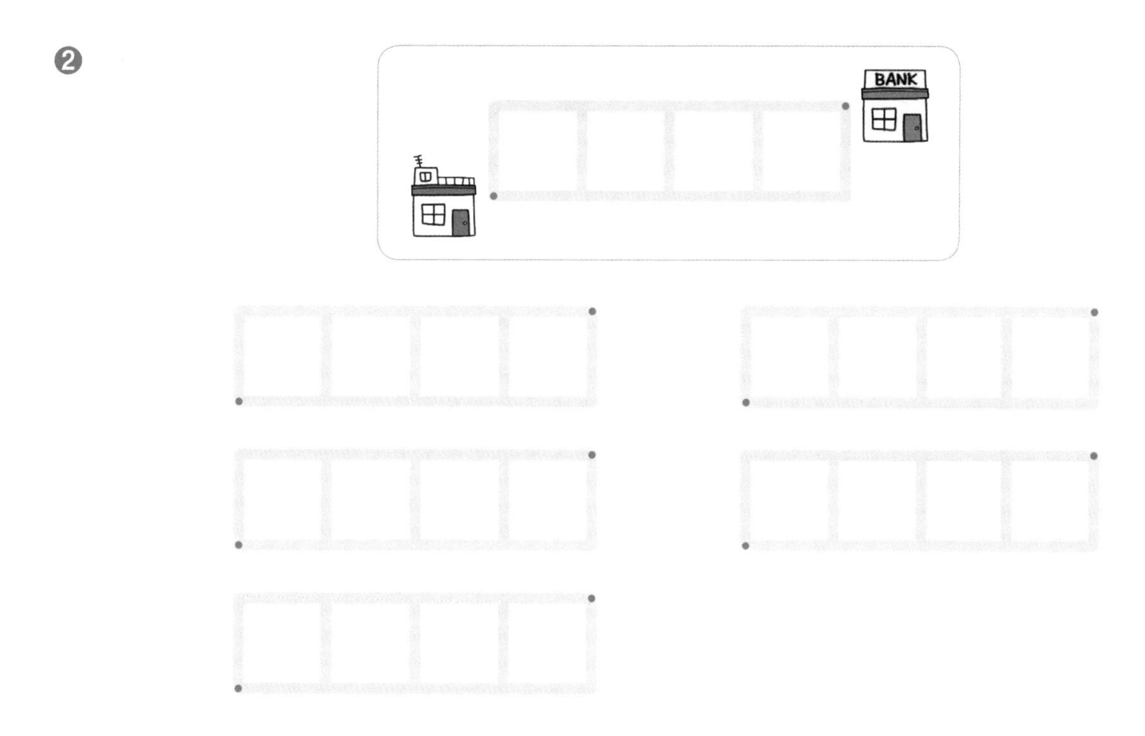

❸

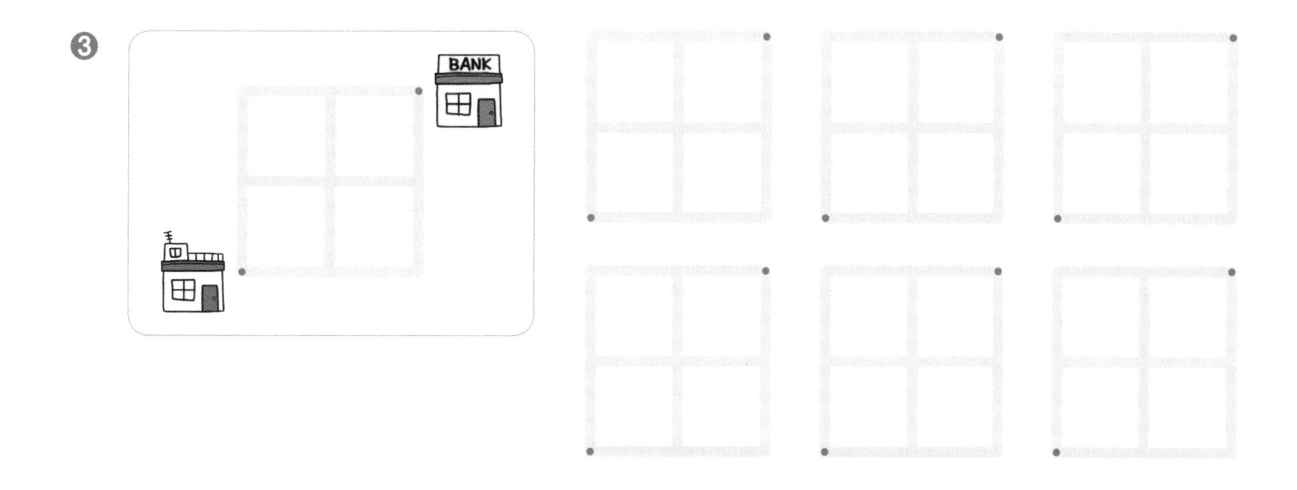

가장 짧은 길 (3)

집에서 병원까지 가는 가장 짧은 길을 모두 그려 보세요.

집
병원
모양이 복잡해 보이지만
칸 수를 세어
가장 짧은 길을 찾아봐.

7칸을 가는 길이 가장 짧은 길입니다.

❶

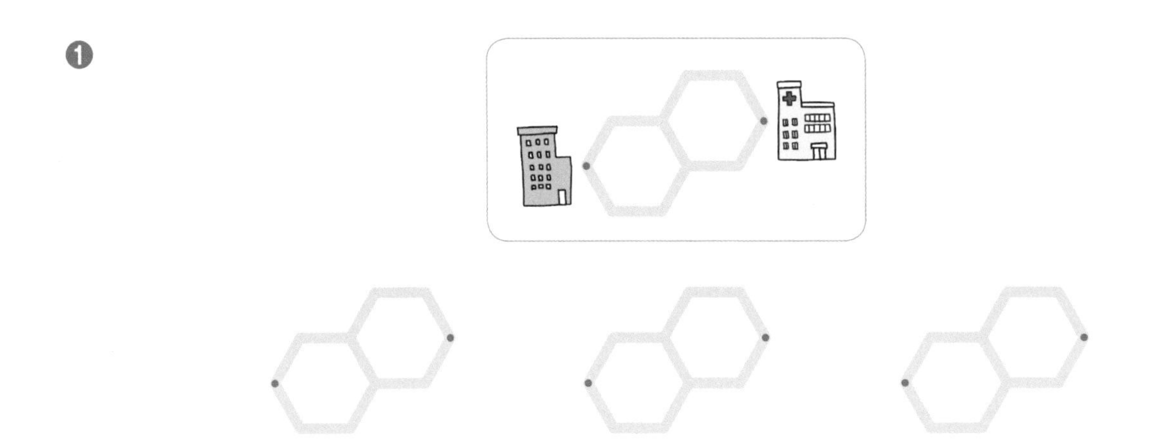

❷

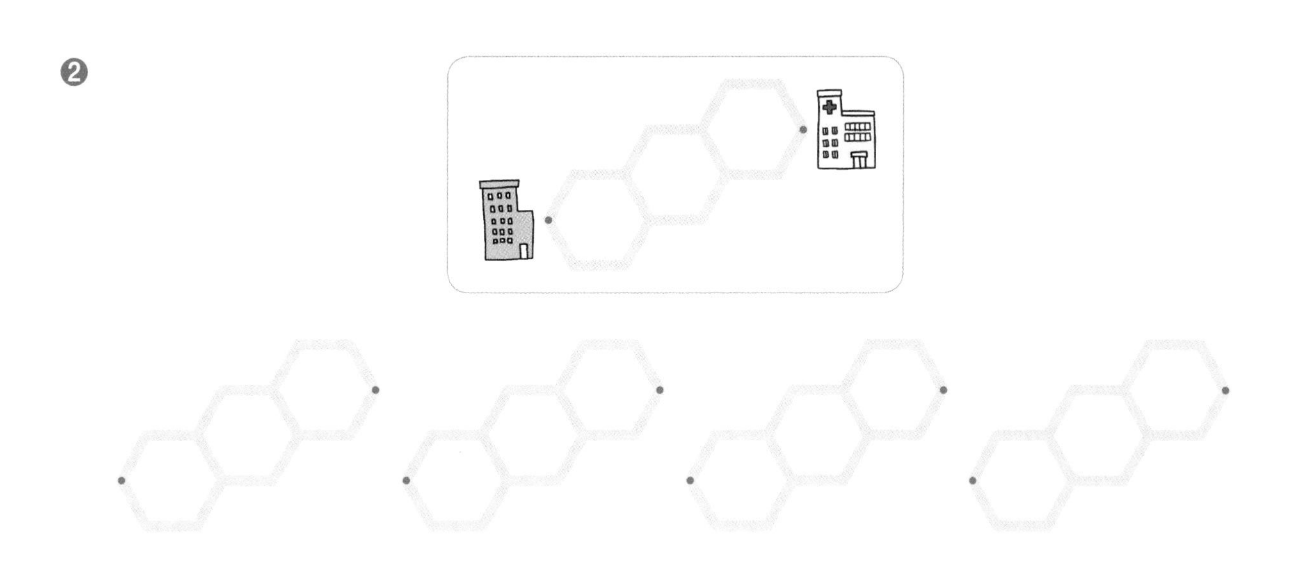

❸

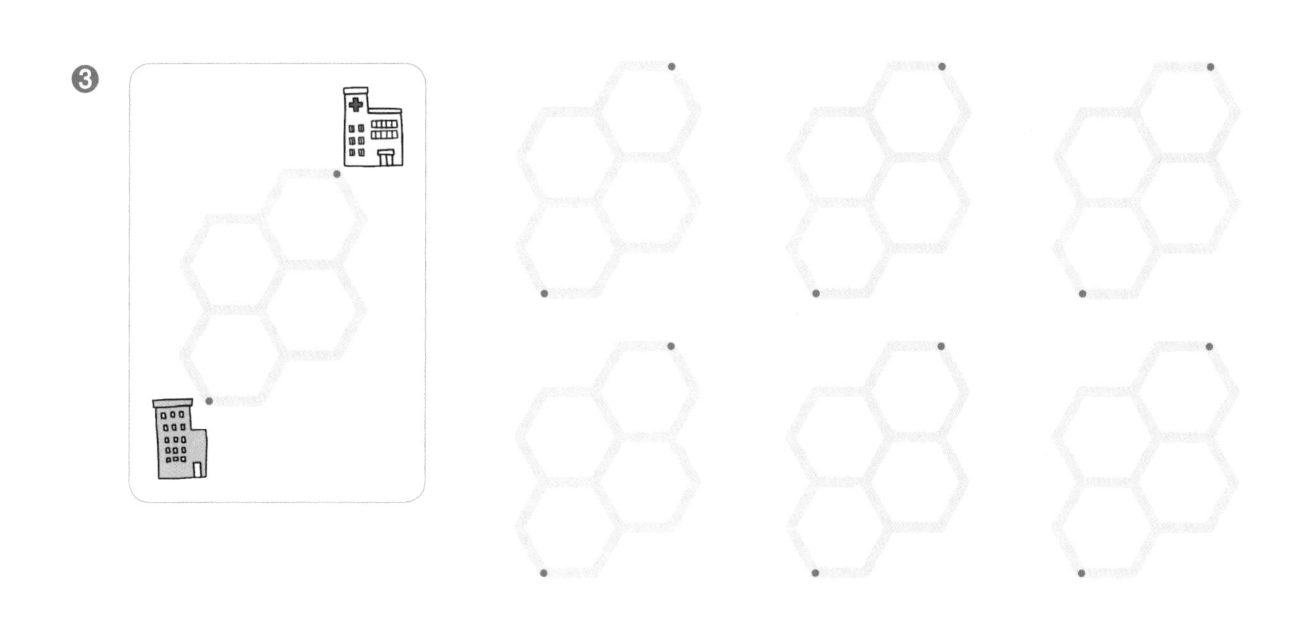

가장 짧은 길의 가짓수

✎ 집에서 마트까지 가는 가장 짧은 길을 모두 그려 보고 몇 가지인지 구하세요.

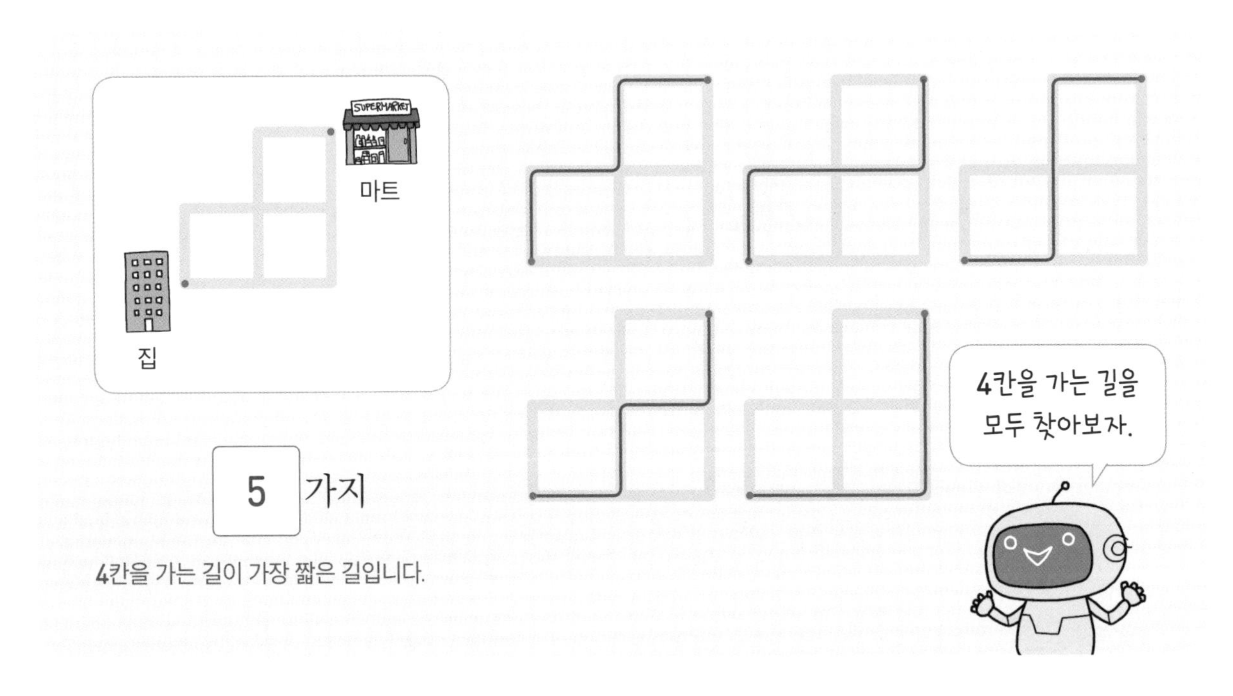

5 가지

4칸을 가는 길이 가장 짧은 길입니다.

❶

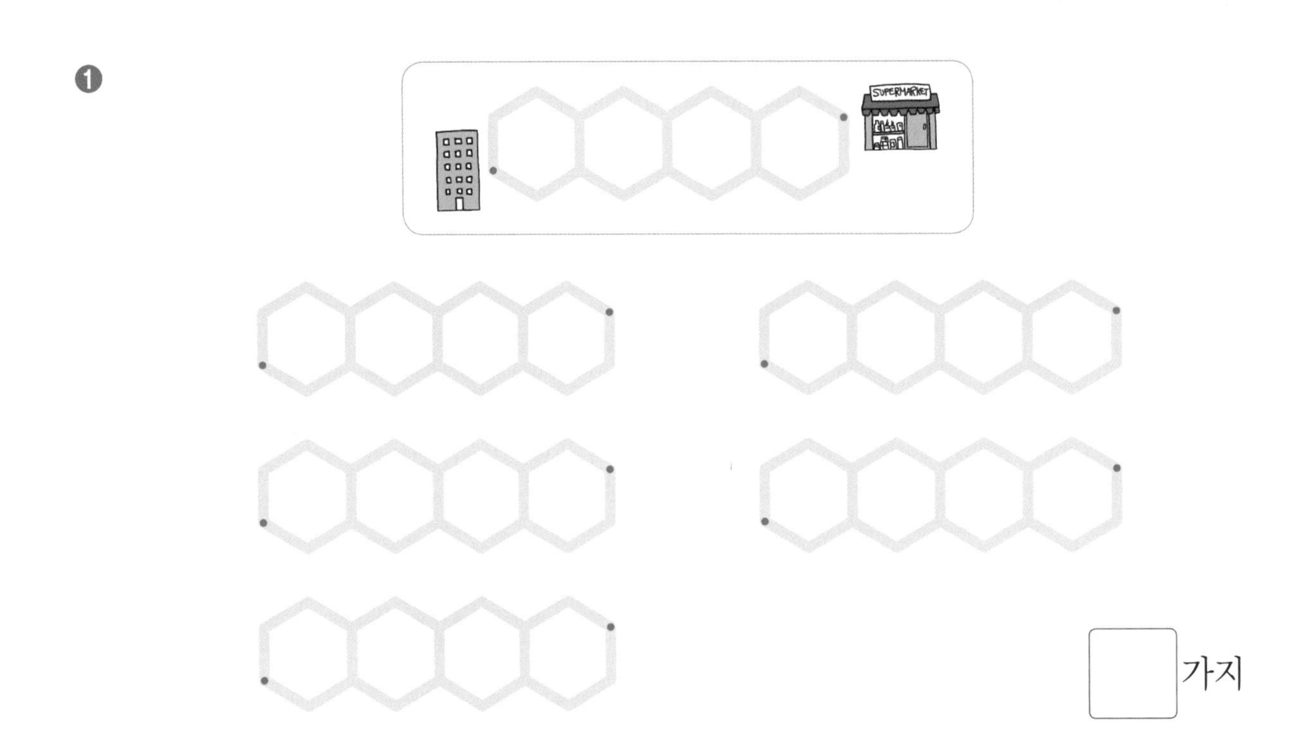

가지

❷

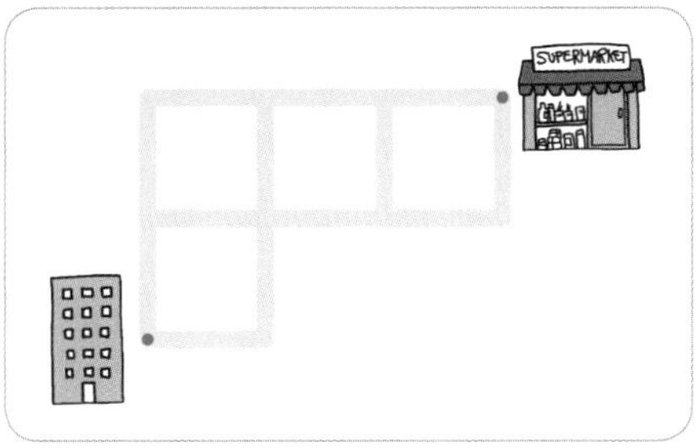

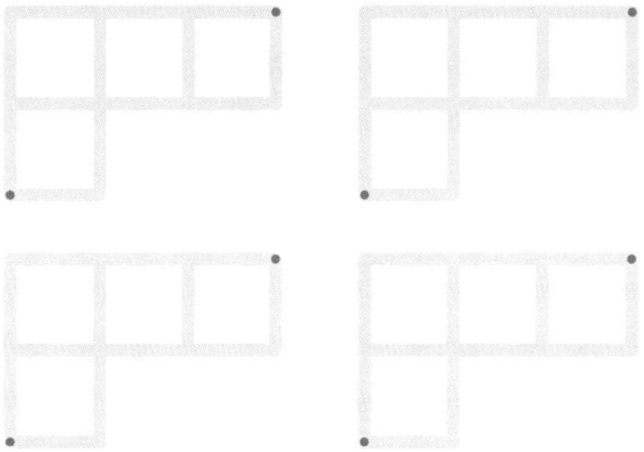

가지

❸

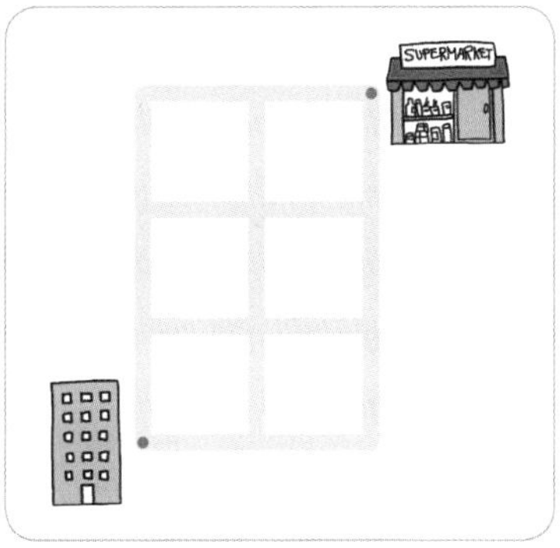

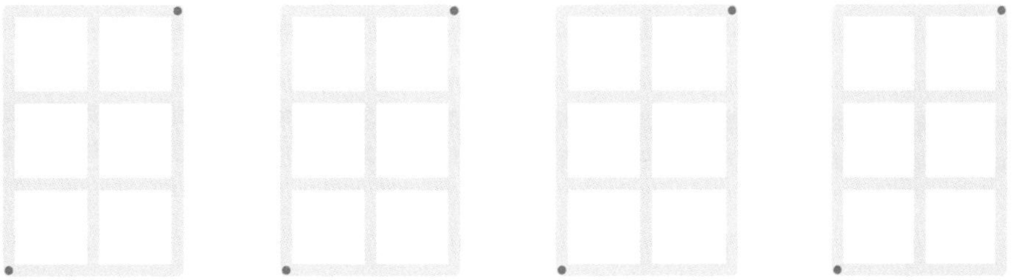

가지

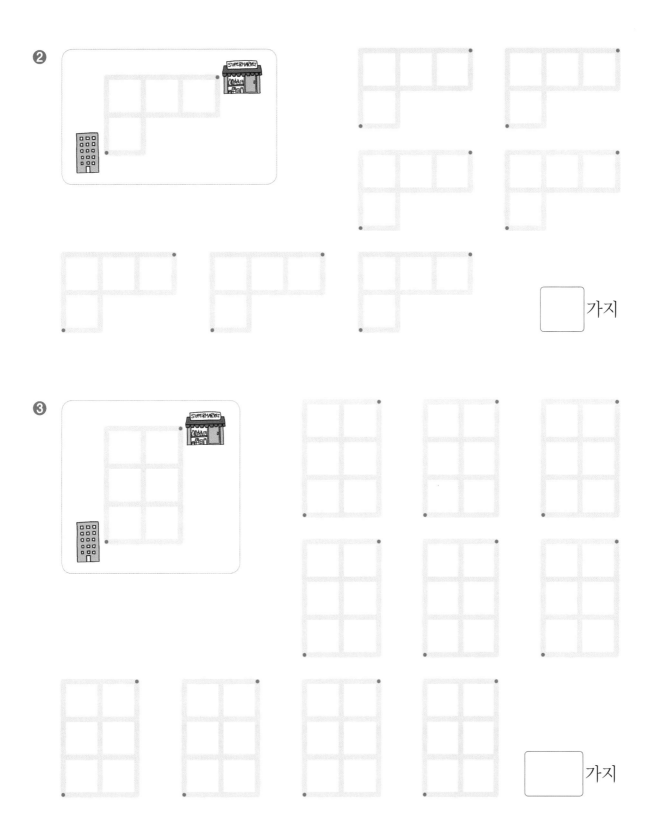

확인학습

집에서 은행까지 가는 가장 짧은 길을 모두 그려 보세요.

❶

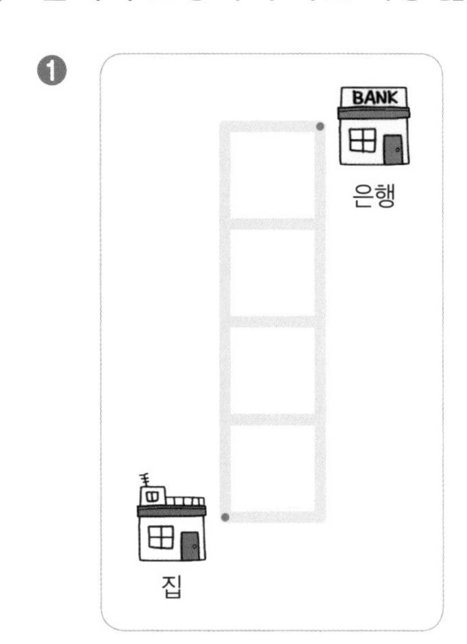

❷

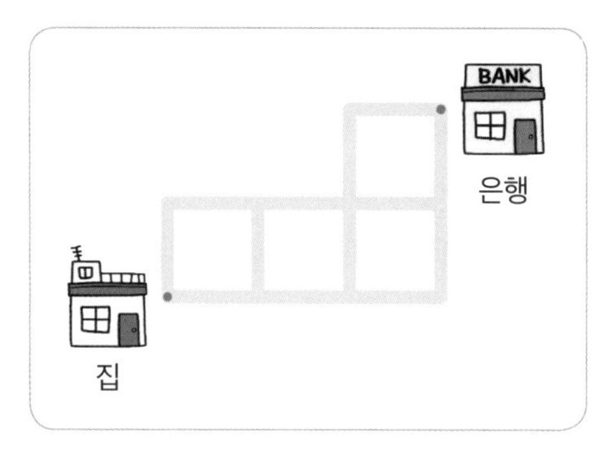

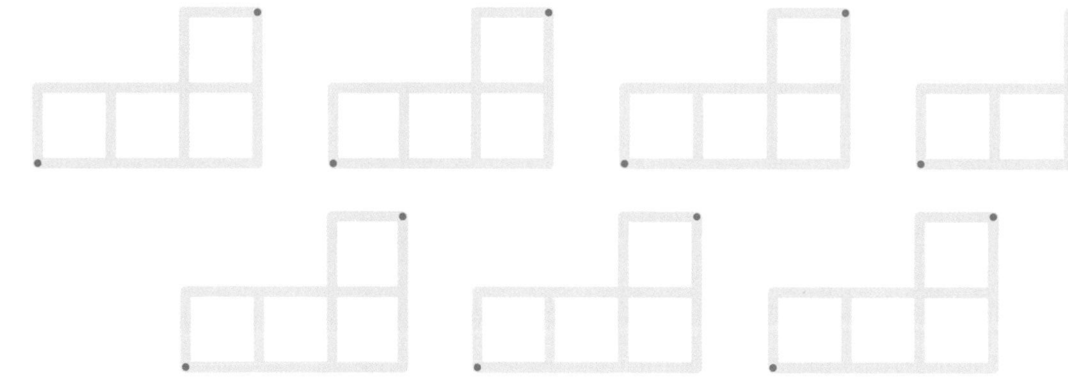

3
주차

동전과 금액

얼마입니까?

모두 얼마입니까?

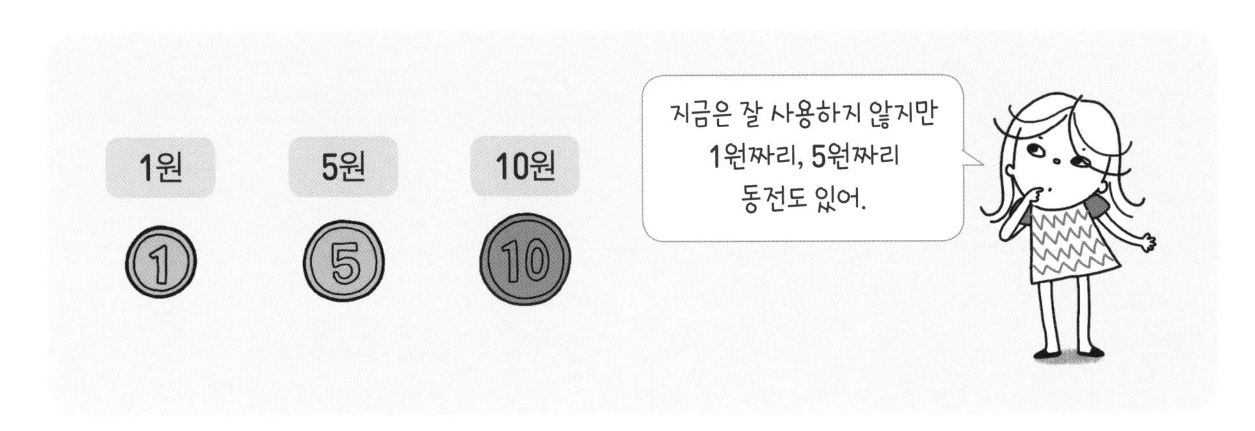

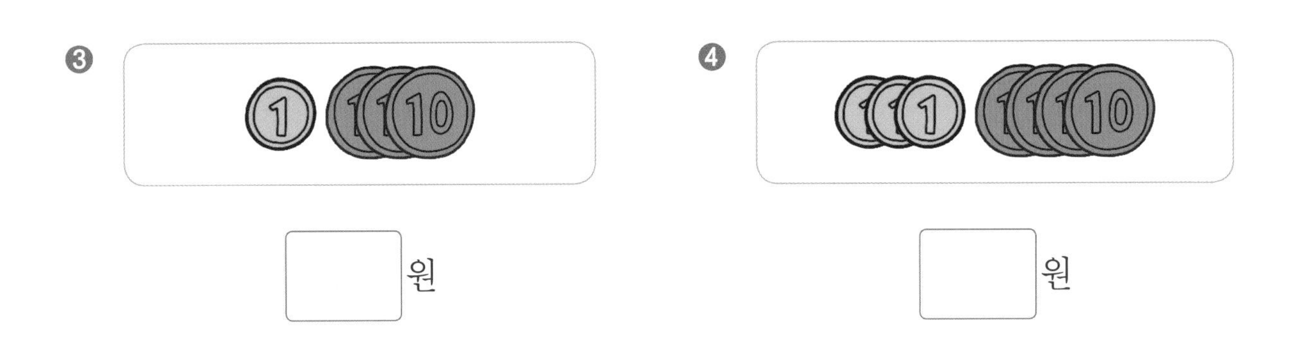

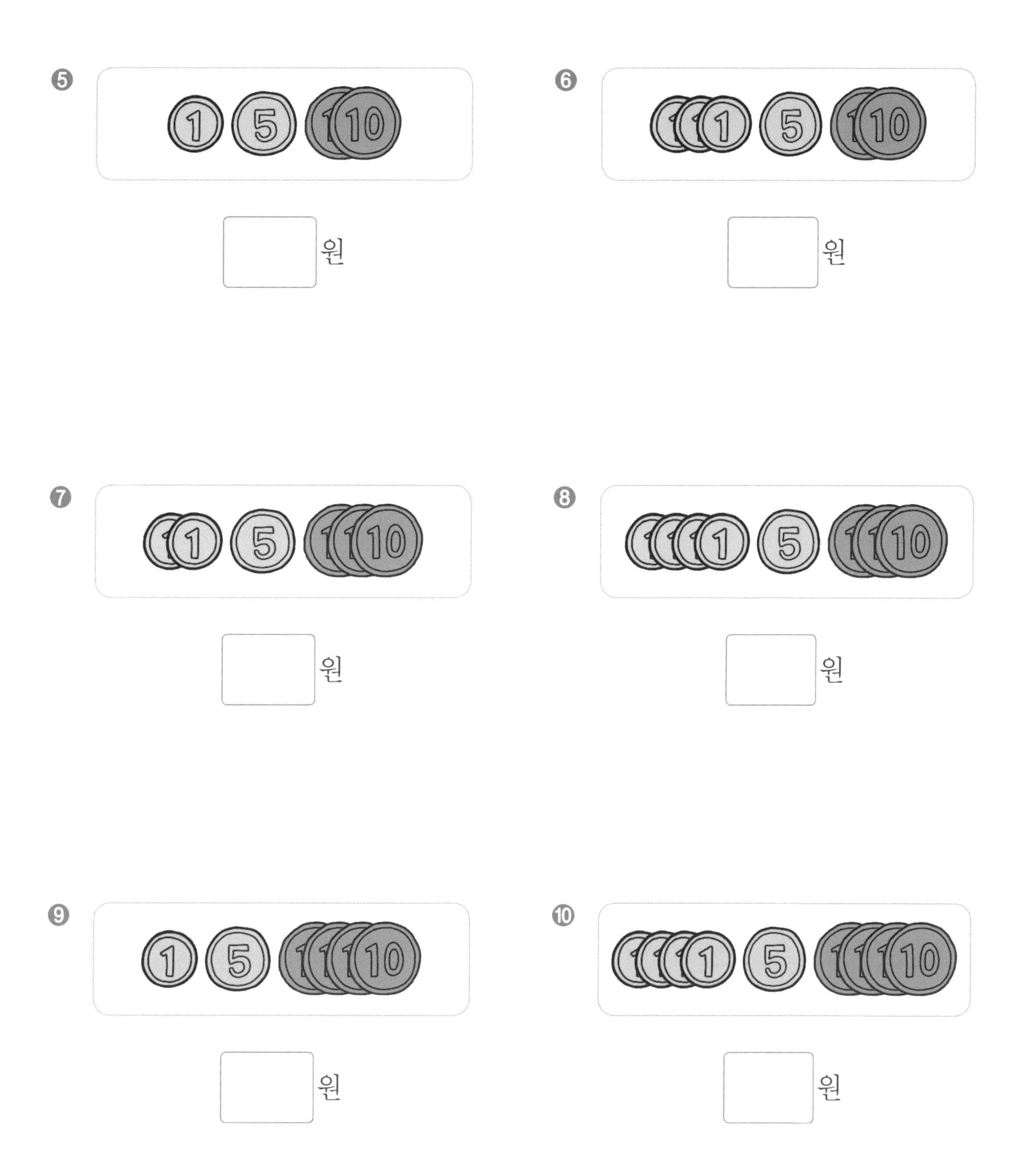
⑤
1 5 10
원
⑥
1 5 10
원
⑦
1 5 10
원
⑧
1 5 10
원
⑨
1 5 10
원
⑩
1 5 10
원

DAY 2 동전 잇기

금액에 맞게 선을 그어 보세요. 선은 가로, 세로로만 그을 수 있습니다.

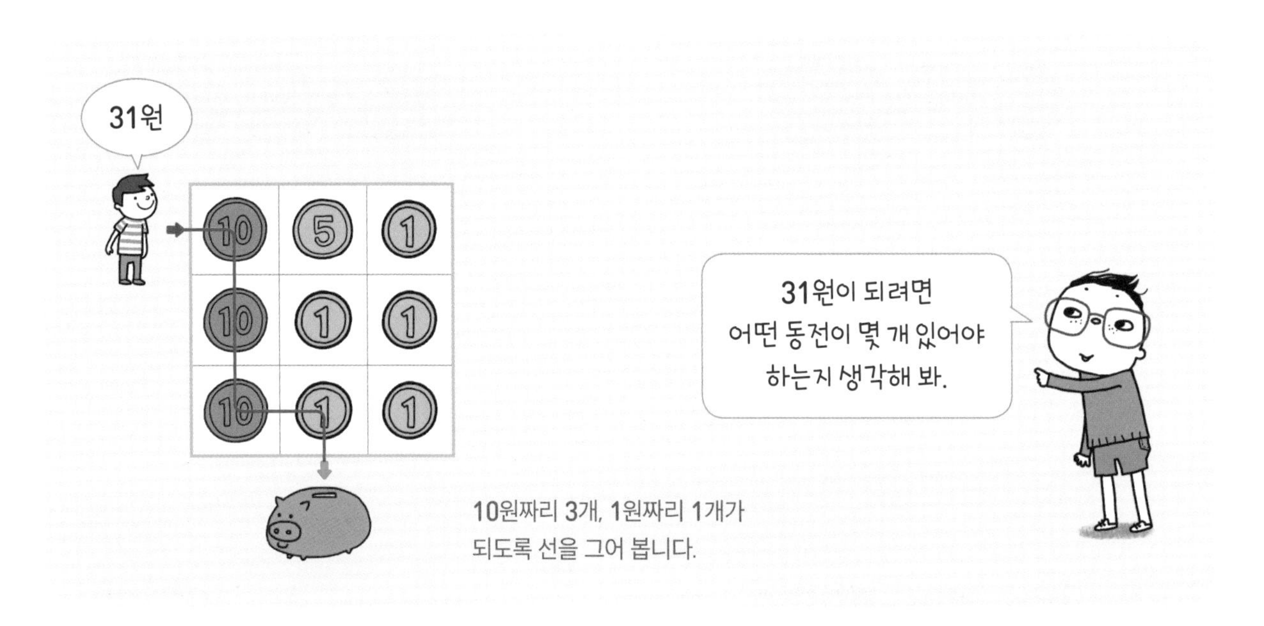

31원
10 5 1
10 1 1
10 1 1
31원이 되려면
어떤 동전이 몇 개 있어야
하는지 생각해 봐.
10원짜리 3개, 1원짜리 1개가
되도록 선을 그어 봅니다.

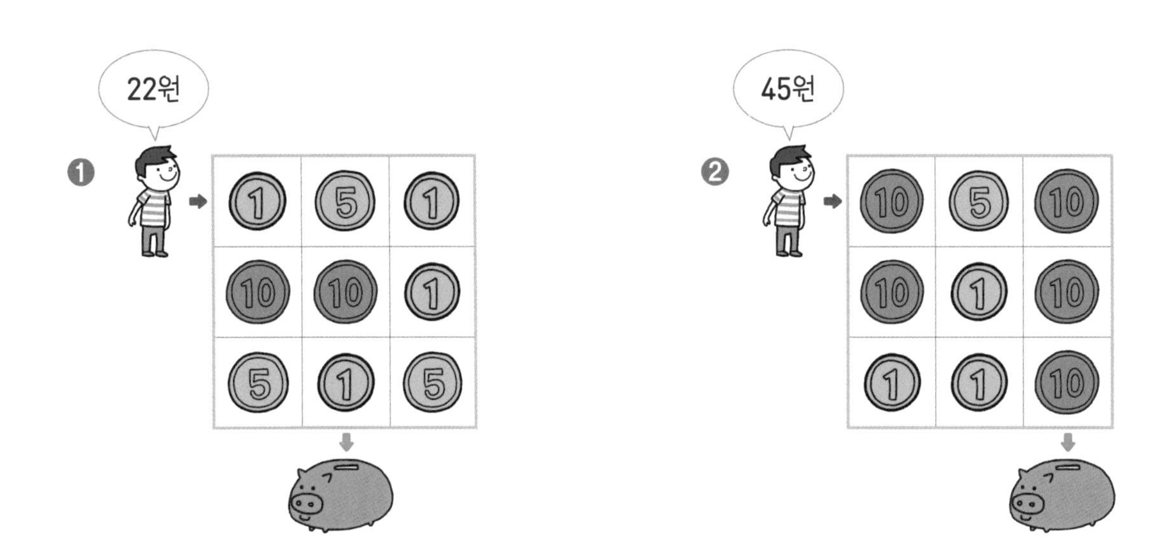

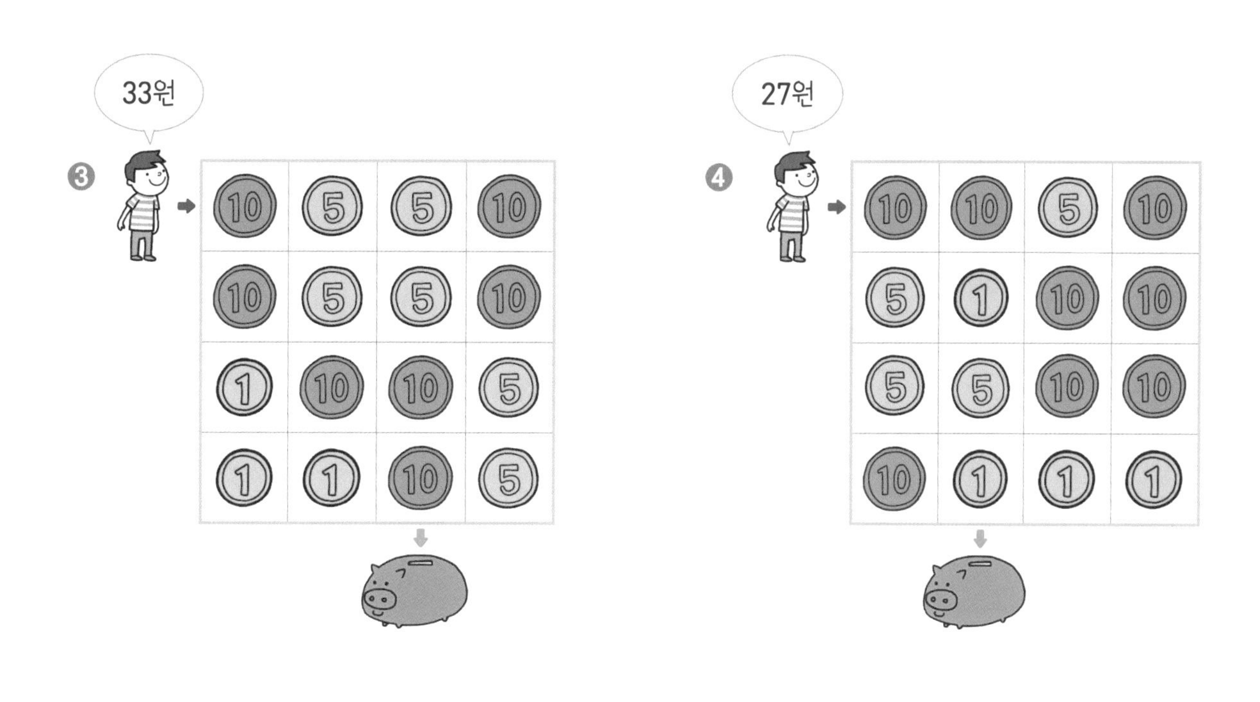
33원
❸
27원
❹

36원
❺
47원
❻

DAY 3 금액 만들기 (1)

✎ 저금통 안의 금액에 맞도록 ◯ 안에 1, 5, 10 중 알맞은 수를 쓰세요.

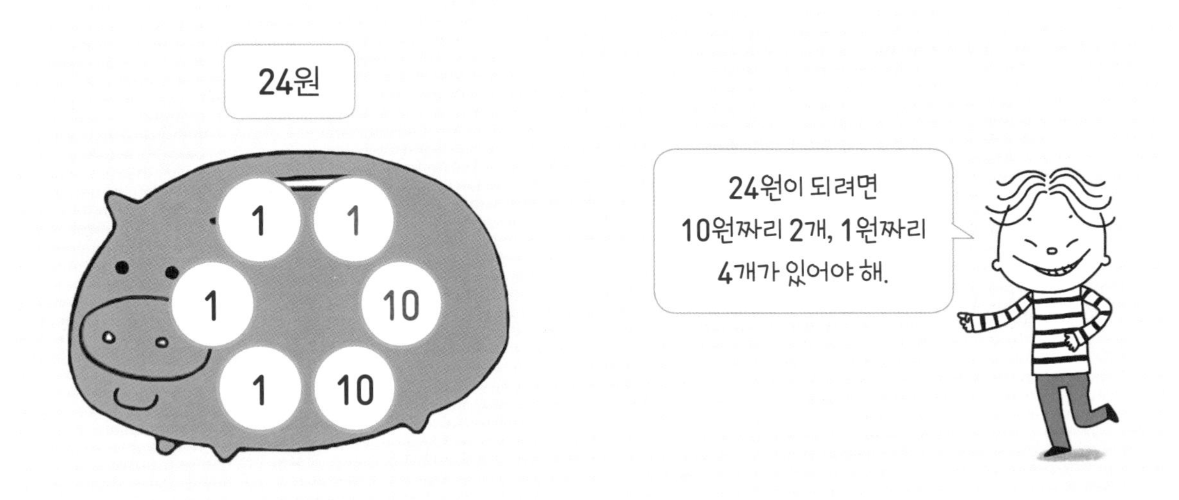

❶

❷

❸ 35원

❹ 27원

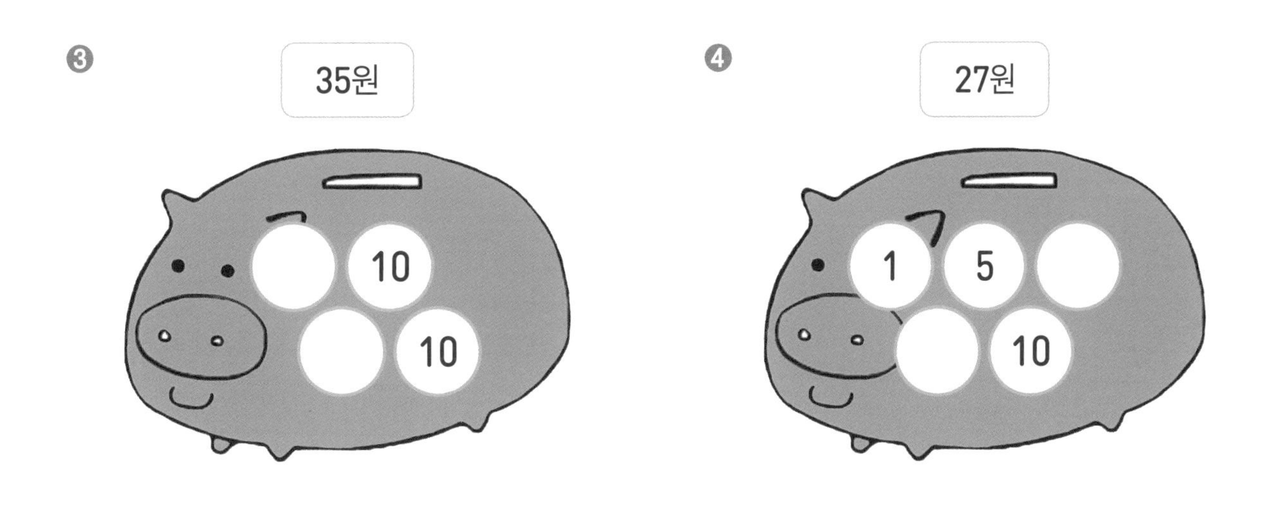

❺ 38원

❻ 48원

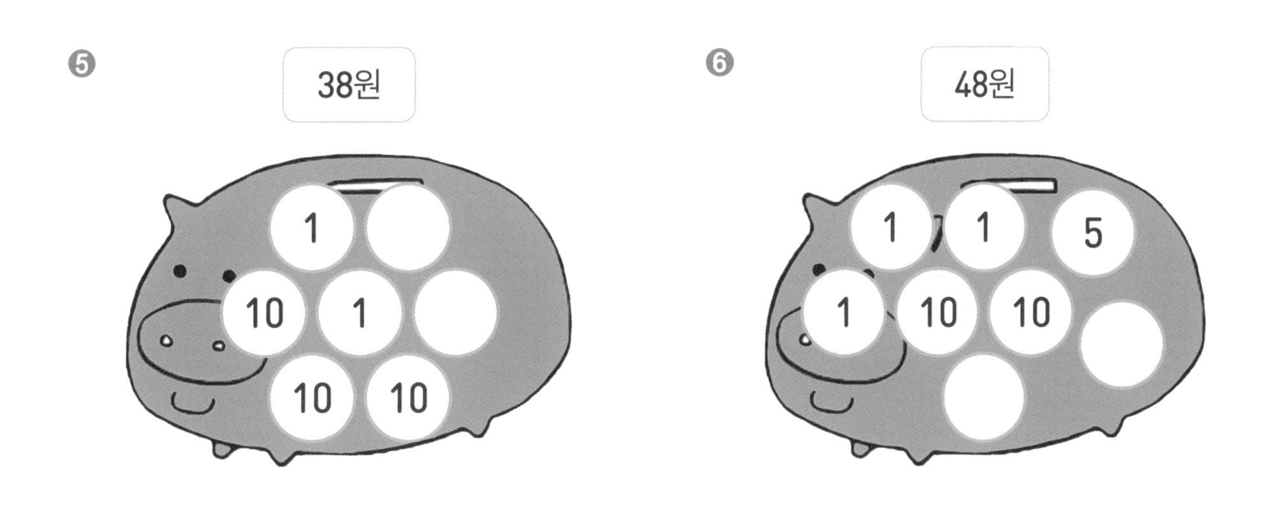

금액 만들기 (2)

지갑 안의 금액에 맞도록 ◯ 안에 1, 5, 10 중 알맞은 수를 쓰세요.

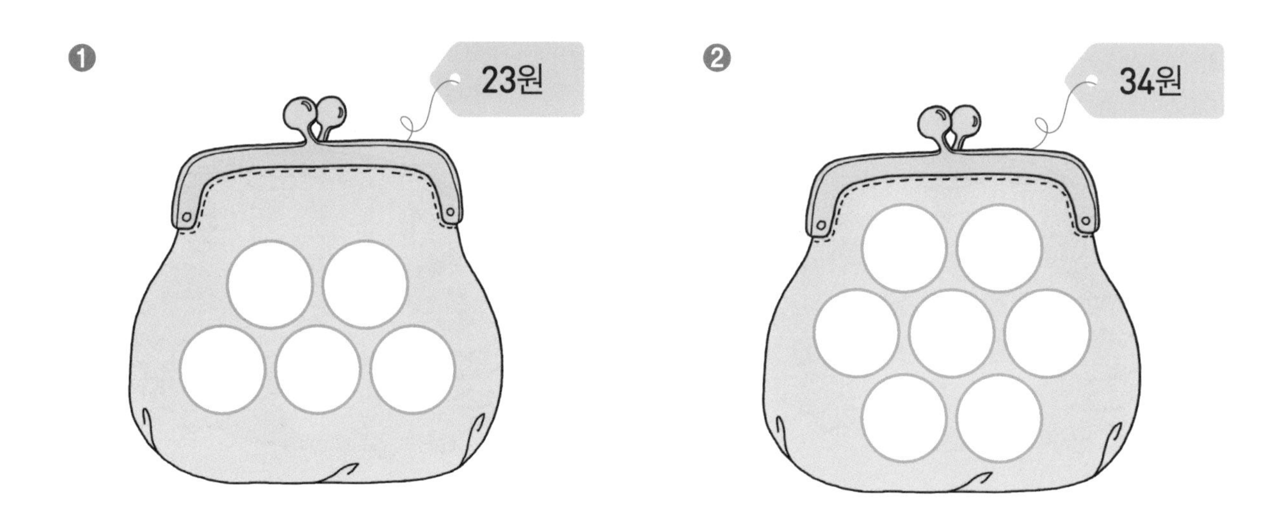

❸

❹

❺

❻

DAY 5 금액 만들기 (3)

가장 적은 개수의 동전으로 주어진 금액이 되도록 동전을 그려 보세요.

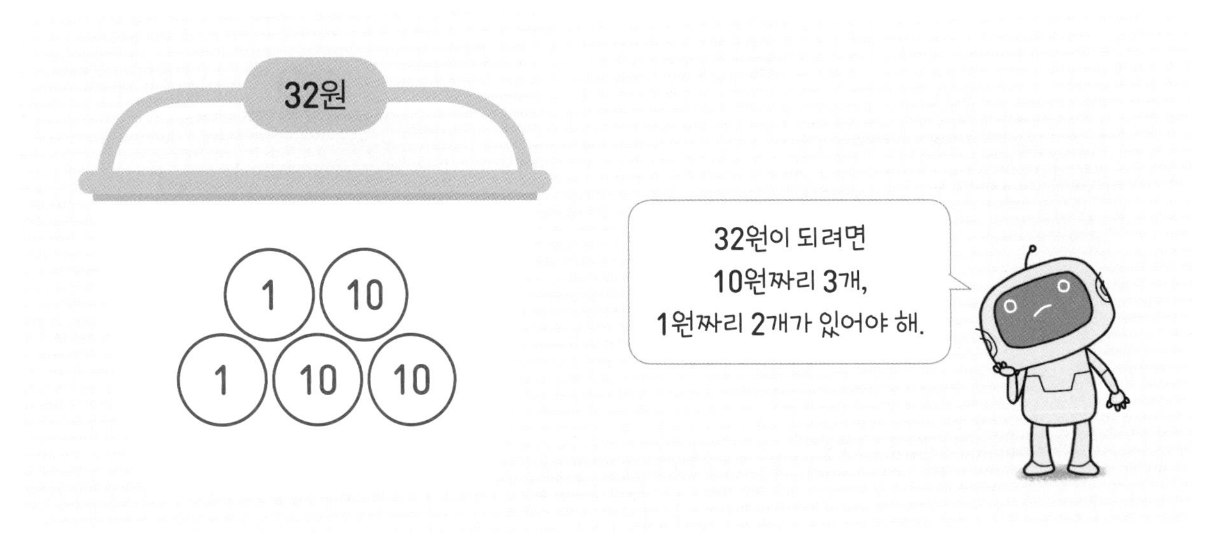

❸ ❹

❺ ❻

확인학습

저금통 안의 금액에 맞도록 ◯ 안에 1, 5, 10 중 알맞은 수를 쓰세요.

❶

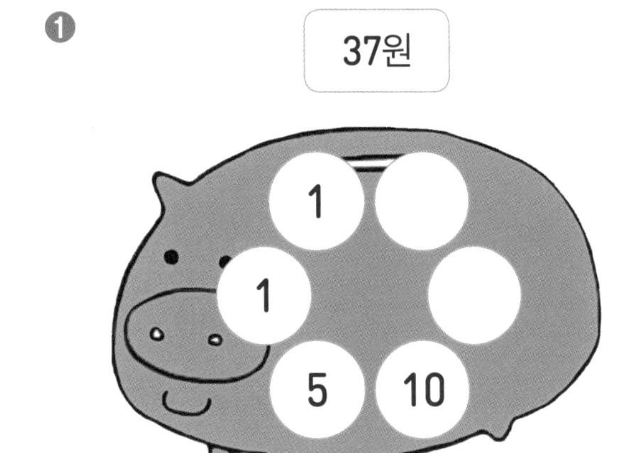

❷

가장 적은 개수의 동전으로 주어진 금액이 되도록 동전을 그려 보세요.

❸

❹

4
주차

경우의 수

공 꺼내기 (1)

✎ 상자에서 공을 1개 꺼냈을 때 나올 수 있는 공에 모두 ○표 하고, 색깔이 다른 공을 꺼내는 경우의 수를 구하세요.

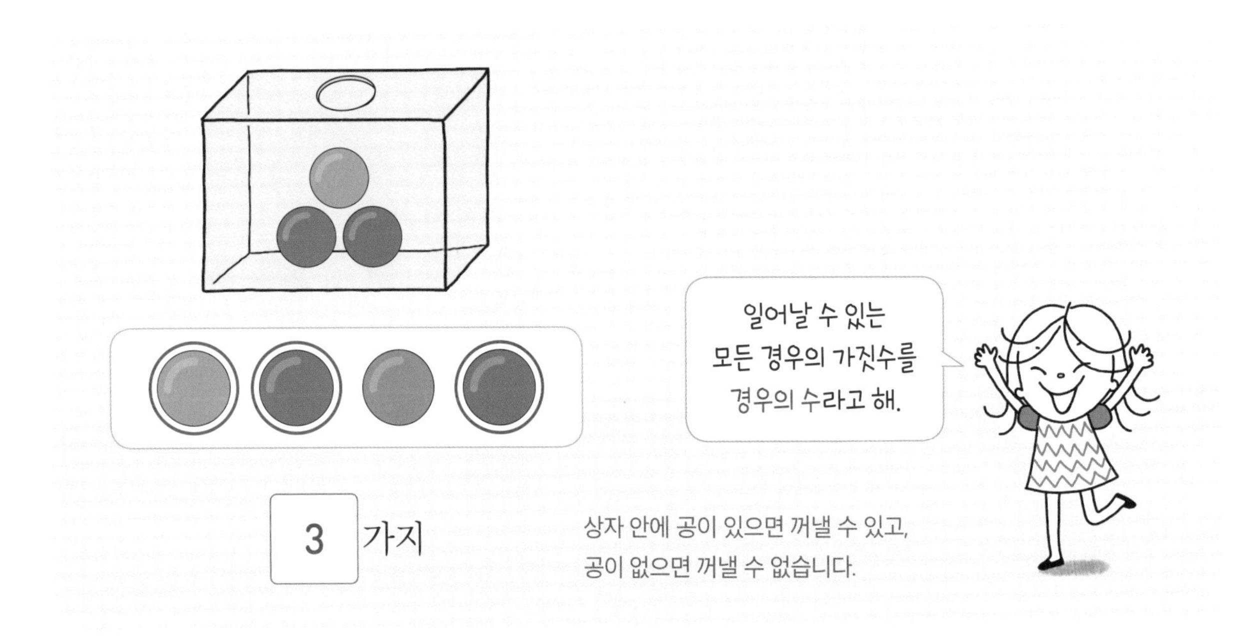
3 가지
일어날 수 있는
모든 경우의 가짓수를
경우의 수라고 해.

상자 안에 공이 있으면 꺼낼 수 있고,
공이 없으면 꺼낼 수 없습니다.

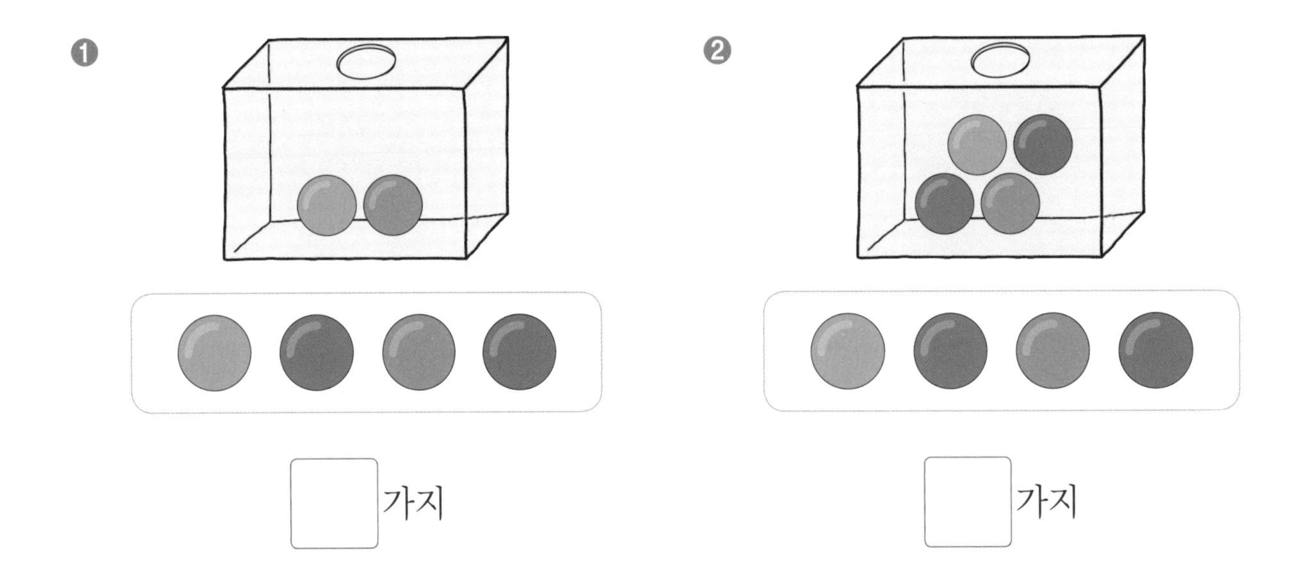
❶
❷
가지
가지

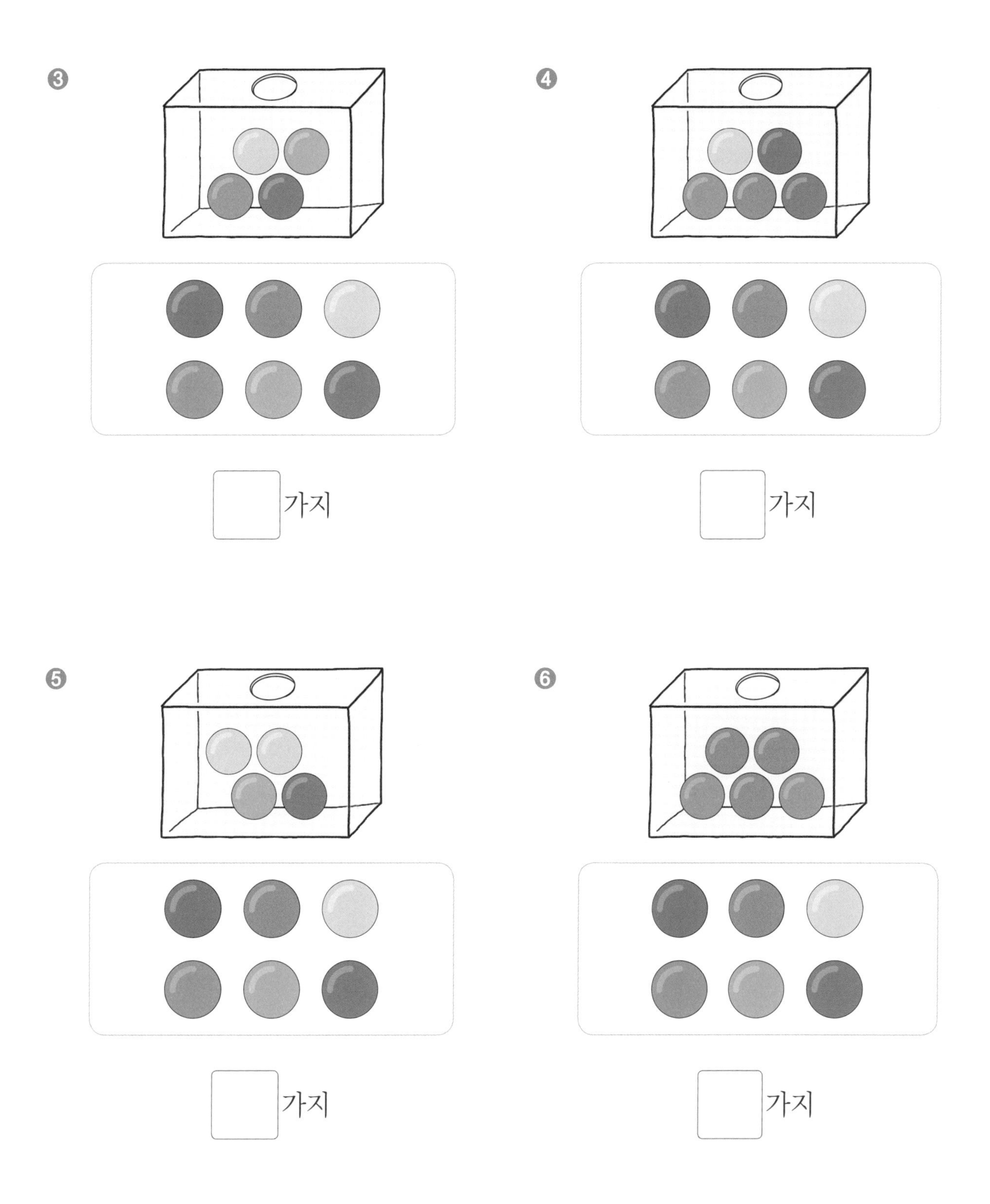
③
가지
④
가지
⑤
가지
⑥
가지

공 꺼내기 (2)

주머니에서 공을 1개 꺼냈을 때 나올 수 있는 공에 모두 ○표 하고, 서로 다른 공을 꺼내는 경우의 수를 구하세요.

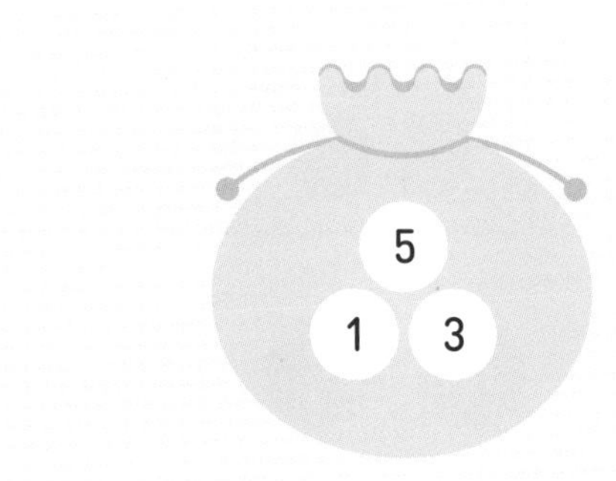

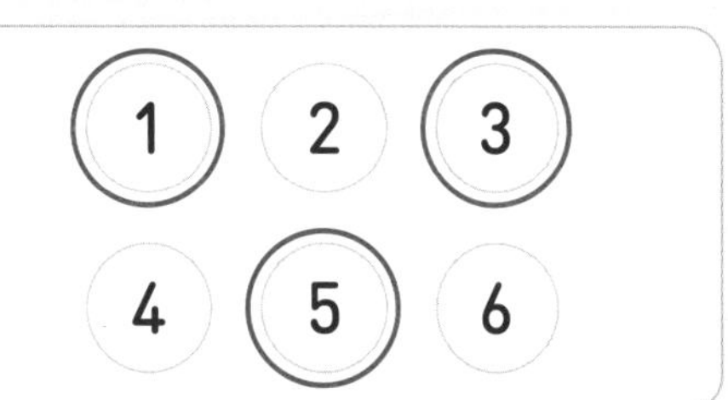

3 가지

❶

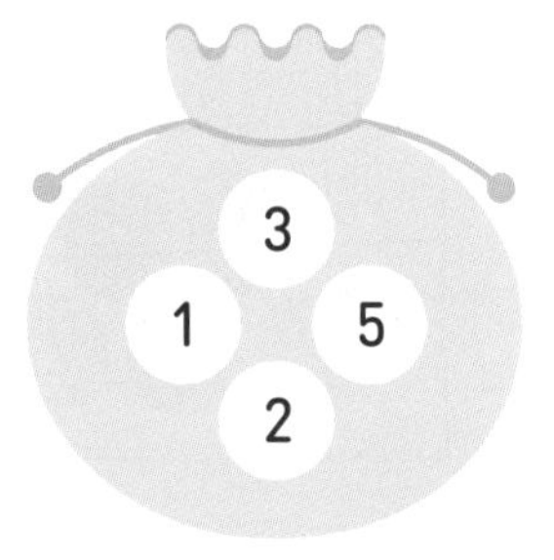

1 2 3
4 5 6

가지

❷

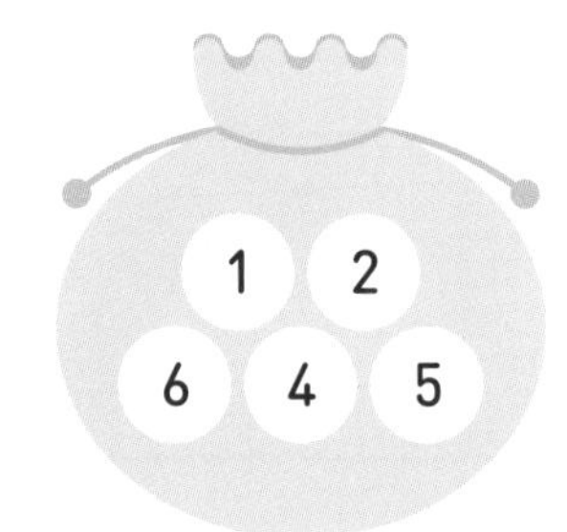

1 2 3
4 5 6

가지

❸

3 4
5 4 5

1	2	3
4	5	6

□ 가지

❹

1 1
1 6 1
6

1	2	3
4	5	6

□ 가지

❺

3 3
1 1 2
4

1	2	3	4
1	2	3	4

□ 가지

❻

1 3
3 4 1
2 2

1	2	3	4
1	2	3	4

□ 가지

여러 가지 경우의 수 (1)

상자에서 공을 1개 꺼내려고 합니다. 조건에 맞는 공에 모두 ○표 한 후 조건에 맞는 공을 꺼내는 경우의 수를 구하세요.

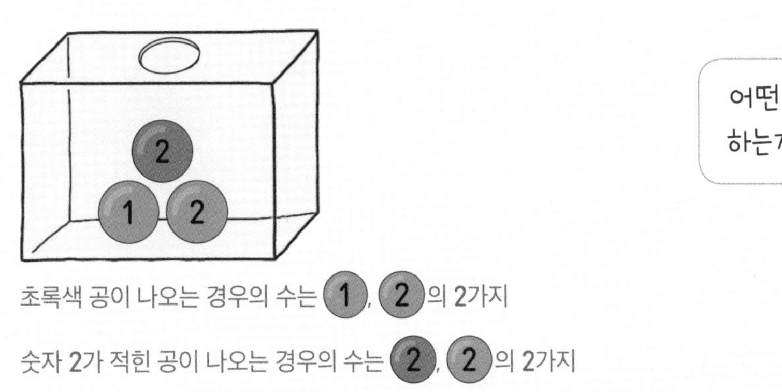

2
1 2
초록색 공이 나오는 경우의 수는 1, 2의 2가지
숫자 2가 적힌 공이 나오는 경우의 수는 2, 2의 2가지

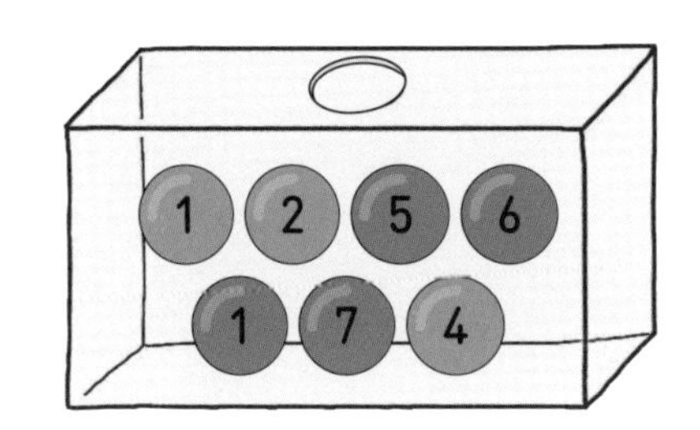

❶ 초록색 공이 나오는 경우

1 2 4 1 5 6 7   □가지

❷ 3보다 큰 수가 적힌 공이 나오는 경우

1 2 4 1 5 6 7   □가지

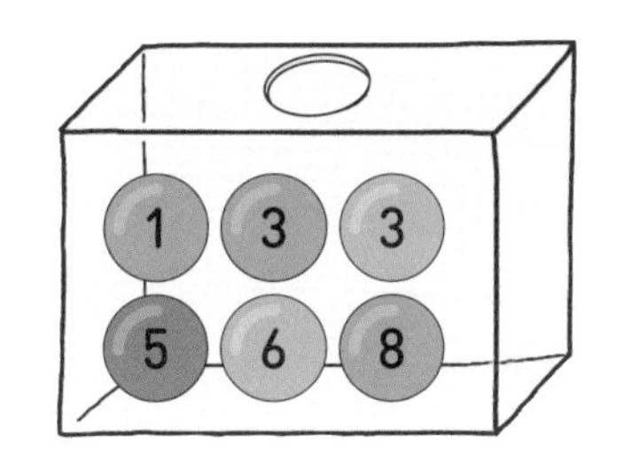

❸ 초록색 공이 나오는 경우

1 3 8 3 6 5 　 □가지

❹ 빨간색 공이 나오는 경우

1 3 8 3 6 5 　 □가지

❺ 3이 적힌 공이 나오는 경우

1 3 8 3 6 5 　 □가지

❻ 7보다 작은 수가 적힌 공이 나오는 경우

1 3 8 3 6 5 　 □가지

DAY 4 여러 가지 경우의 수 (2)

주어진 카드 중에서 한 장을 뽑으려고 합니다. 조건에 맞는 카드를 뽑는 경우의 수를 선으로 이으세요.

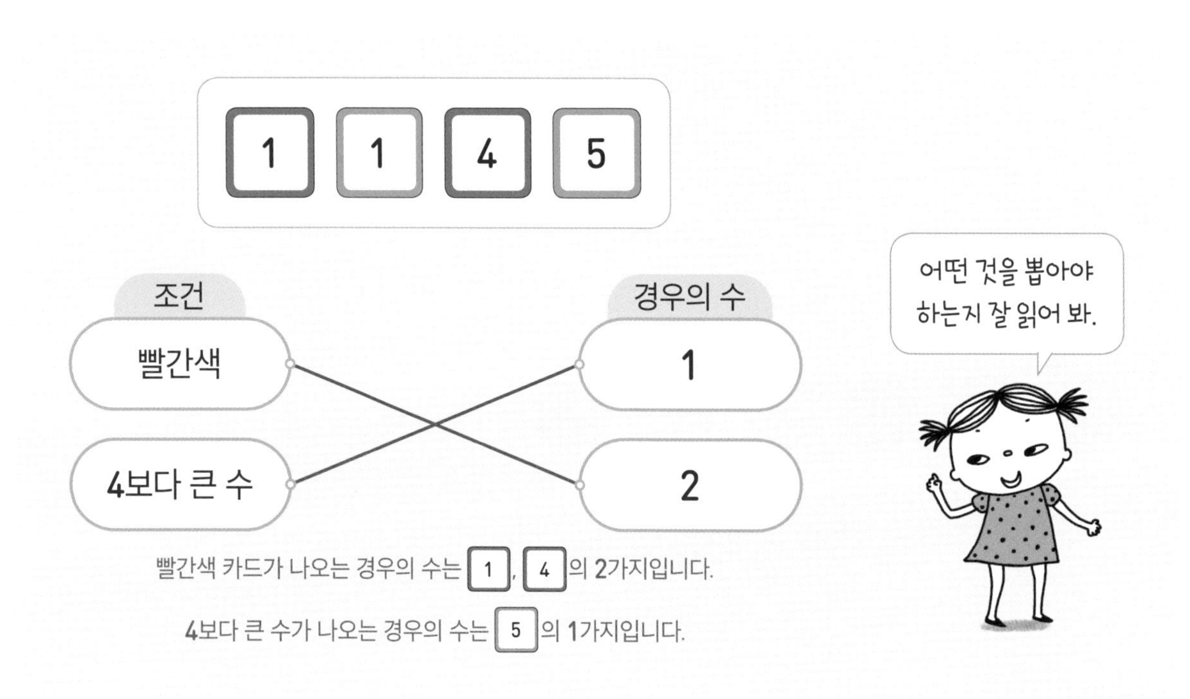

1 1 4 5
조건
빨간색
4보다 큰 수
경우의 수
1
2
빨간색 카드가 나오는 경우의 수는 1, 4의 2가지입니다.
4보다 큰 수가 나오는 경우의 수는 5의 1가지입니다.
어떤 것을 뽑아야 하는지 잘 읽어 봐.

❶

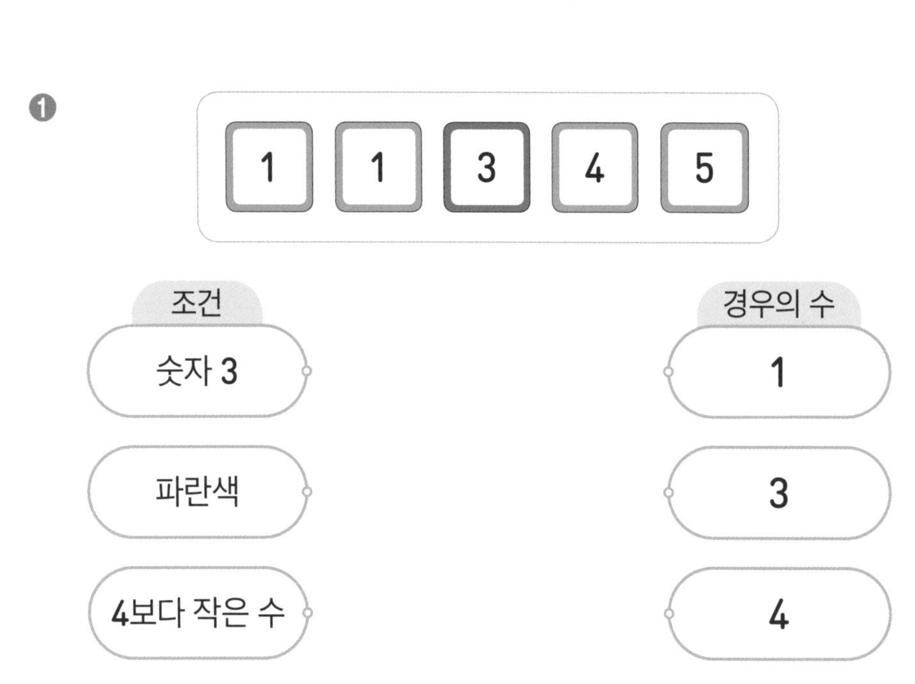

1 1 3 4 5
조건
숫자 3
파란색
4보다 작은 수

경우의 수

1

3

4

❷

1	2	3	1	2	4

조건	경우의 수
초록색	2
숫자 2	3
3보다 작은 수	4

❸

1	2	4	7	7	8	9

조건	경우의 수
노란색	2
숫자 7	4
6보다 큰 수	5

DAY 5 가능성

✎ 주머니에서 공을 1개 꺼내려고 합니다. 꺼낼 가능성이 더 큰 쪽에 ◯표 하세요.

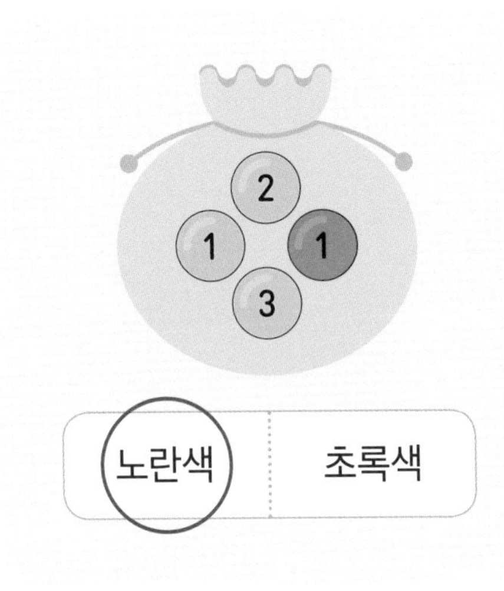
2
1
1
3

(노란색)	초록색

노란색 공: 3개
초록색 공: 1개
노란색 공이 더 많으므로
노란색 공을 꺼낼 가능성이 더 큽니다.

개수가 많은 공을 꺼낼
가능성이 더 크겠지?

❶ (공: 1, 1, 2, 3, 4)

노란색	초록색

❷ (공: 1, 2, 1)

노란색	파란색

❸

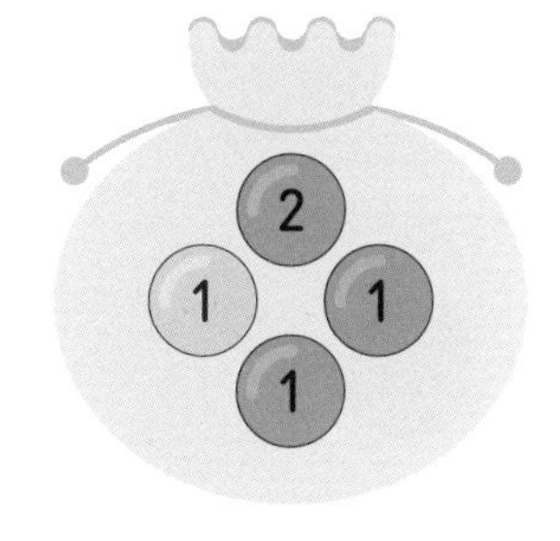

1	2

❹

1	3

❺

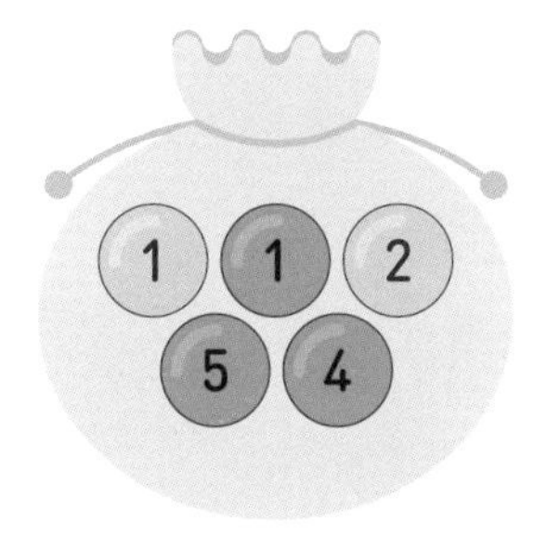

3보다 작은 수	3보다 큰 수

❻

4보다 작은 수	4보다 큰 수

확인학습

상자에서 공을 1개 꺼내려고 합니다. 조건에 맞는 공에 모두 ○표 한 후 조건에 맞는 공을 꺼내는 경우의 수를 구하세요.

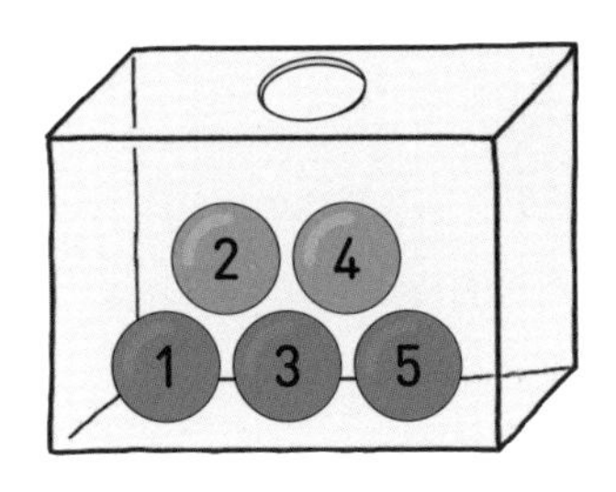

❶ 빨간색 공이 나오는 경우

☐가지

❷ 3보다 큰 수가 적힌 공이 나오는 경우

☐가지

주머니에서 공을 1개 꺼내려고 합니다. 꺼낼 가능성이 더 큰 쪽에 ○표 하세요.

❸

노란색	초록색

❹

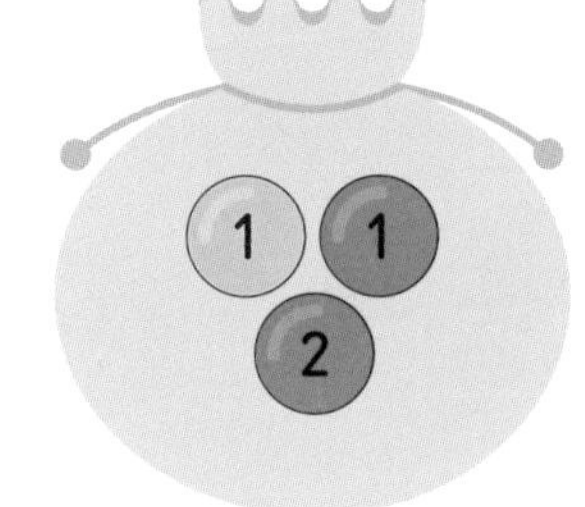

1	2

마무리 평가

마무리 평가는 앞에서 공부한 4주차의 유형이 다음과 같은 순서로 나와요.
틀린 문제는 몇 주차인지 확인하여 반드시 다시 한 번 학습하도록 해요.

1주차	3주차
2주차	4주차

마무리 평가

집에서 놀이터까지 가는 길을 모두 그려 보세요. 한 번 지난 곳은 다시 지나지 않습니다.

❶

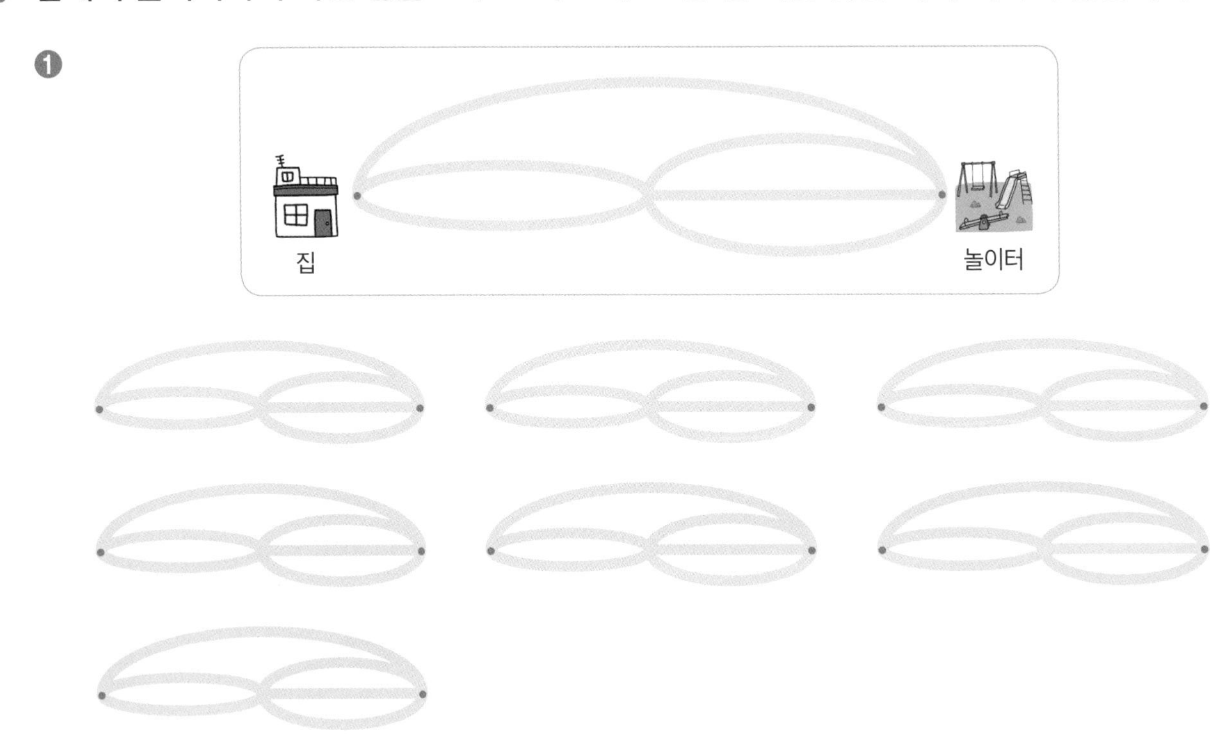

집에서 은행까지 가는 가장 짧은 길을 모두 그려 보세요.

❷

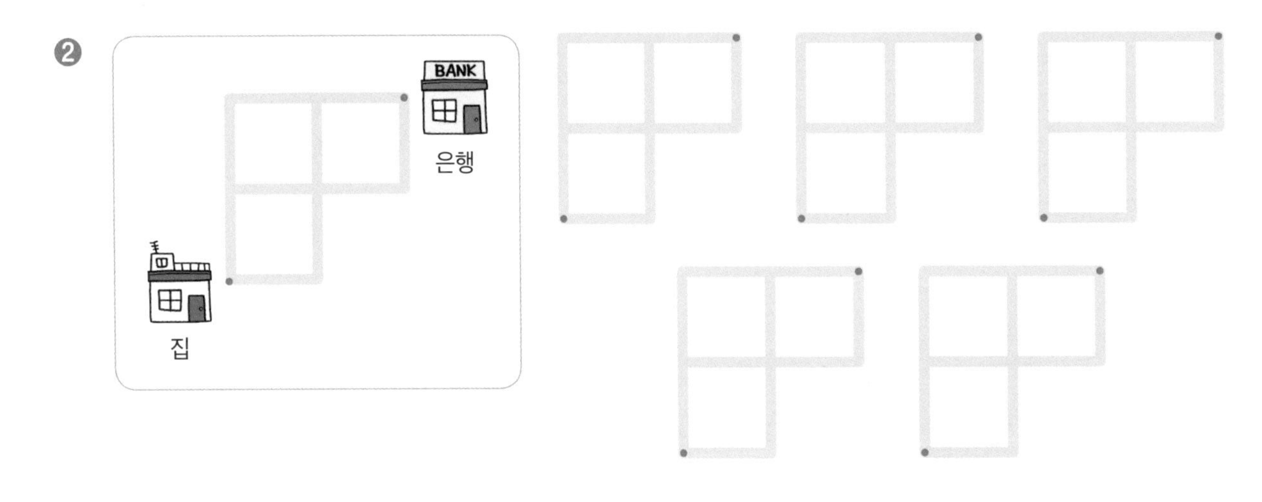

✤ 가장 적은 수의 동전으로 주어진 금액이 되도록 동전을 그려 보세요.

❸ 31원

❹ 47원

✤ 주어진 카드 중에서 한 장을 뽑으려고 합니다. 조건에 맞는 카드를 뽑는 경우의 수를 선으로 이으세요.

❺

조건	경우의 수
파란색	2
숫자 1	3
2보다 큰 수	4

TEST 2 마무리 평가

집에서 병원까지 가는 길을 모두 그려 보세요. 한 번 지난 곳은 다시 지나지 않습니다.

❶

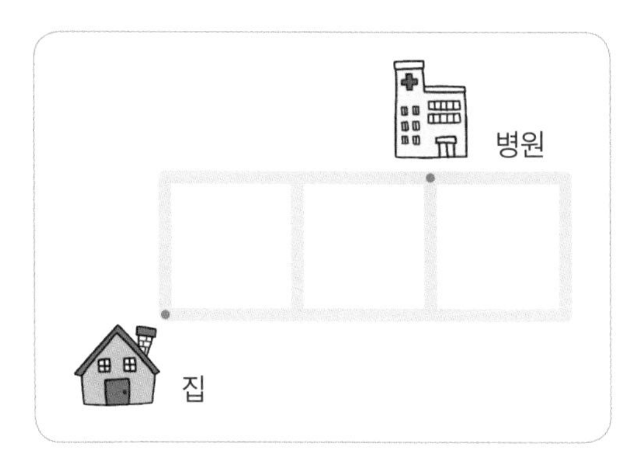

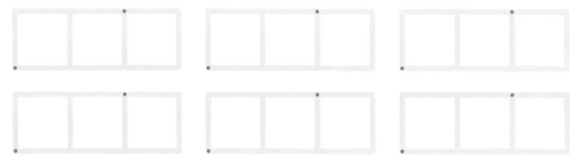

다음 중 집에서 놀이터까지 가는 가장 짧은 길이 아닌 것에 ×표 하세요.

❷

( ) ( ) ( ) ( )

✤ 지갑 안의 금액에 맞도록 ◯ 안에 1, 5, 10 중 알맞은 수를 쓰세요.

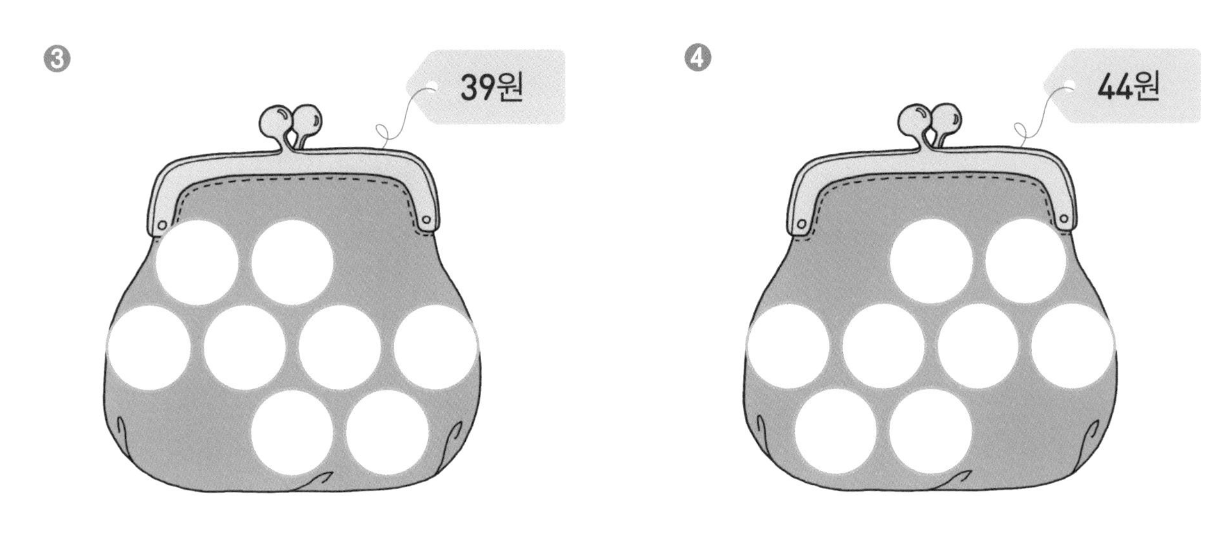

✤ 상자에서 공을 1개 꺼내려고 합니다. 조건에 맞는 공에 모두 ◯표 한 후 조건에 맞는 공을 꺼내는 경우의 수를 구하세요.

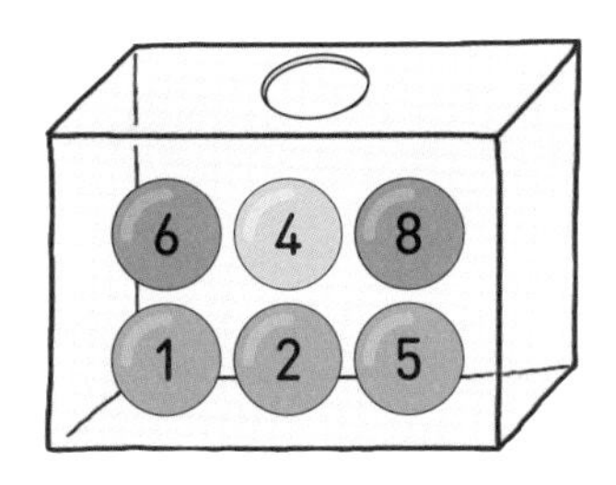

❺ 초록색 공이 나오는 경우

☐가지

❻ 5보다 작은 수가 적힌 공이 나오는 경우

☐가지

TEST 3 마무리 평가

집에서 문구점까지 가는 길은 모두 몇 가지인지 구하세요. 한 번 지난 곳은 다시 지나지 않습니다.

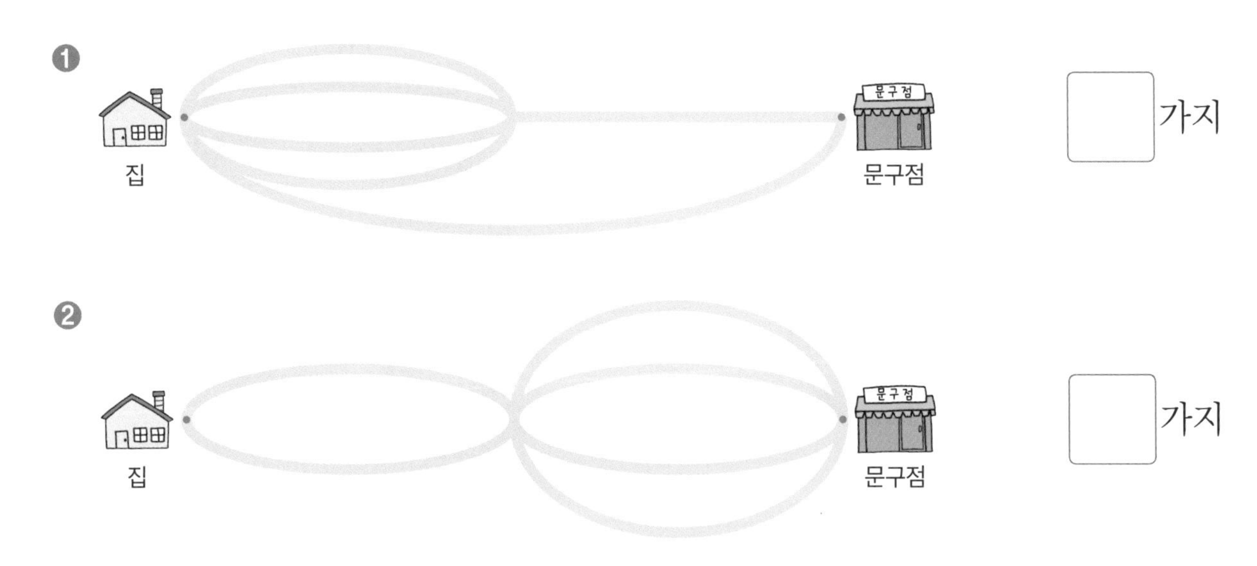

집에서 마트까지 가는 가장 짧은 길을 모두 그려 보세요.

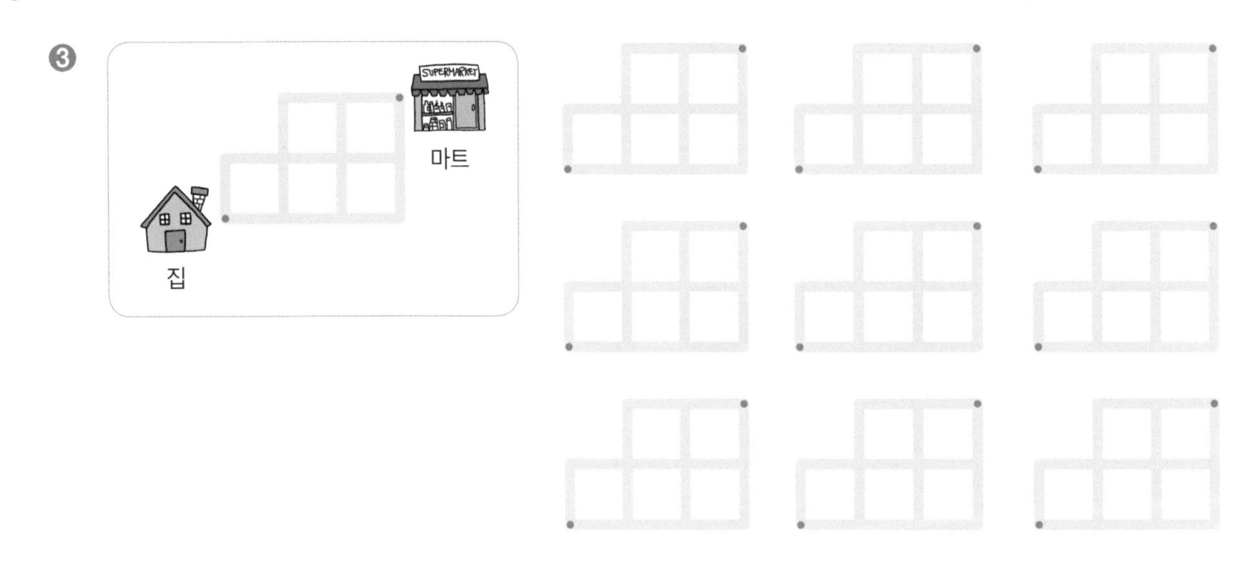

금액에 맞게 선을 이어 보세요. 선은 가로, 세로로만 그을 수 있습니다.

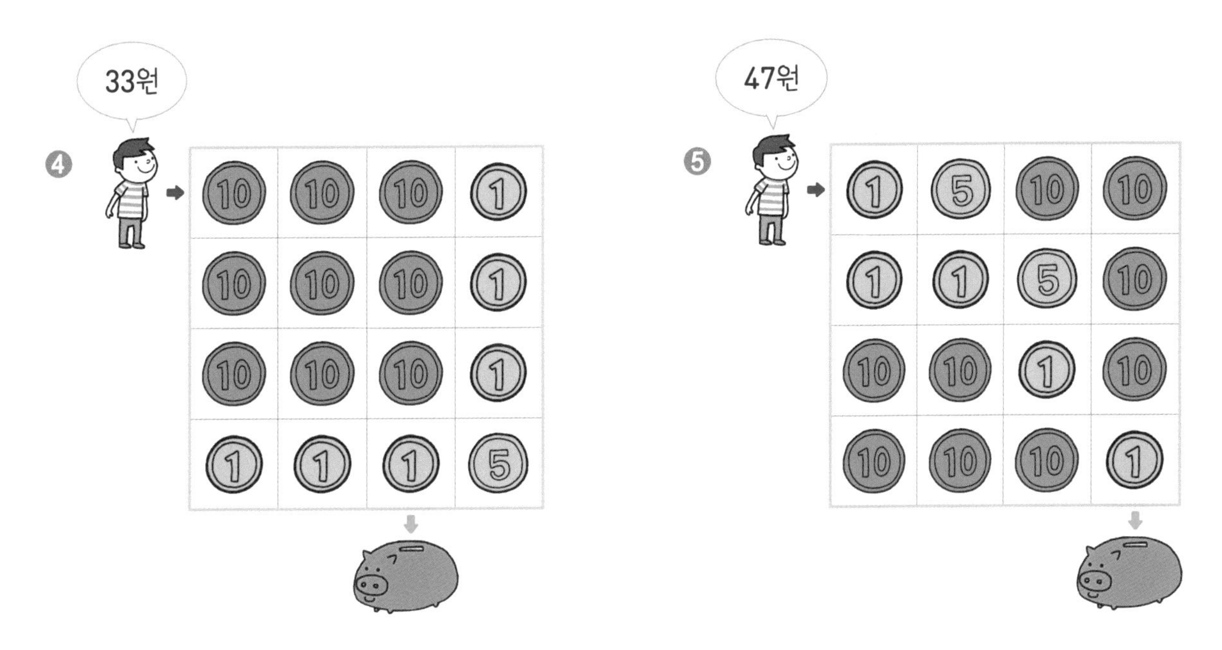

주머니에서 공을 1개 꺼내려고 합니다. 다음 중 꺼낼 가능성이 더 큰 쪽에 ◯표 하세요.

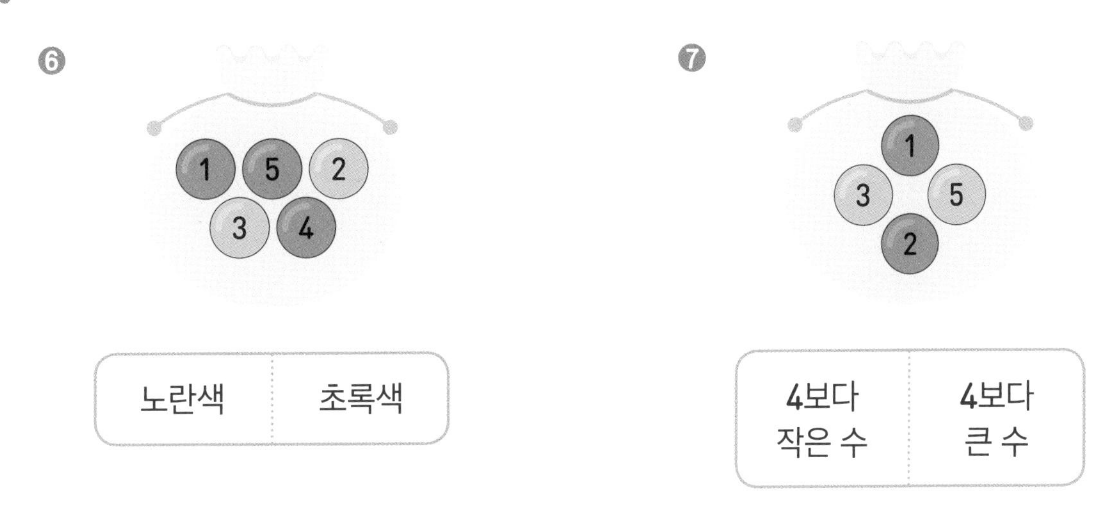

TEST 4 마무리 평가

집에서 병원까지 가는 길을 모두 그려 보세요. 한 번 지난 곳은 다시 지나지 않습니다.

❶

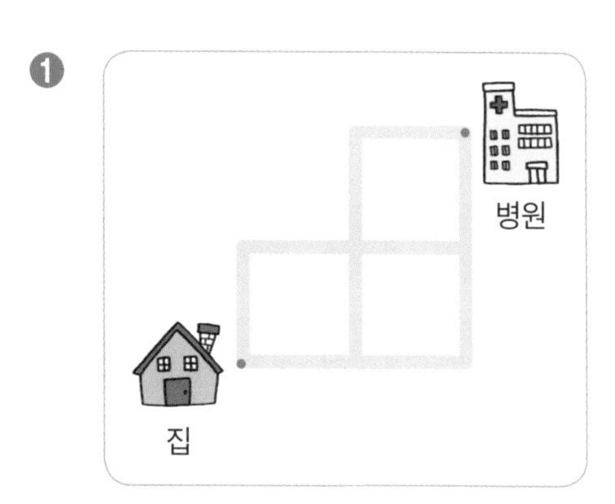

집에서 놀이터까지 가는 가장 짧은 길을 모두 그려 보세요.

❷

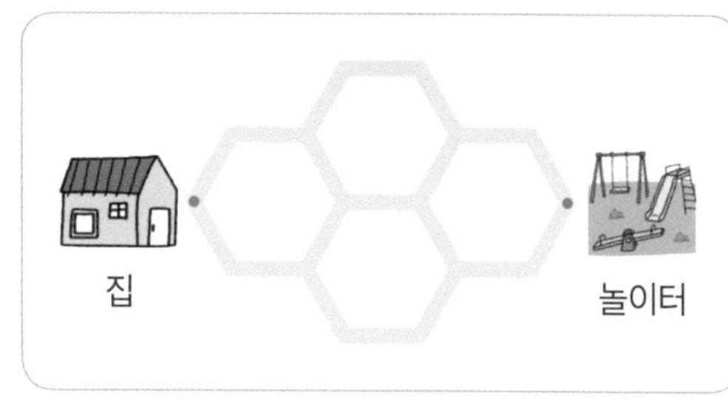

✿ 저금통 안의 금액에 맞도록 ◯ 안에 1, 5, 10 중 알맞은 수를 쓰세요.

❸ ❹

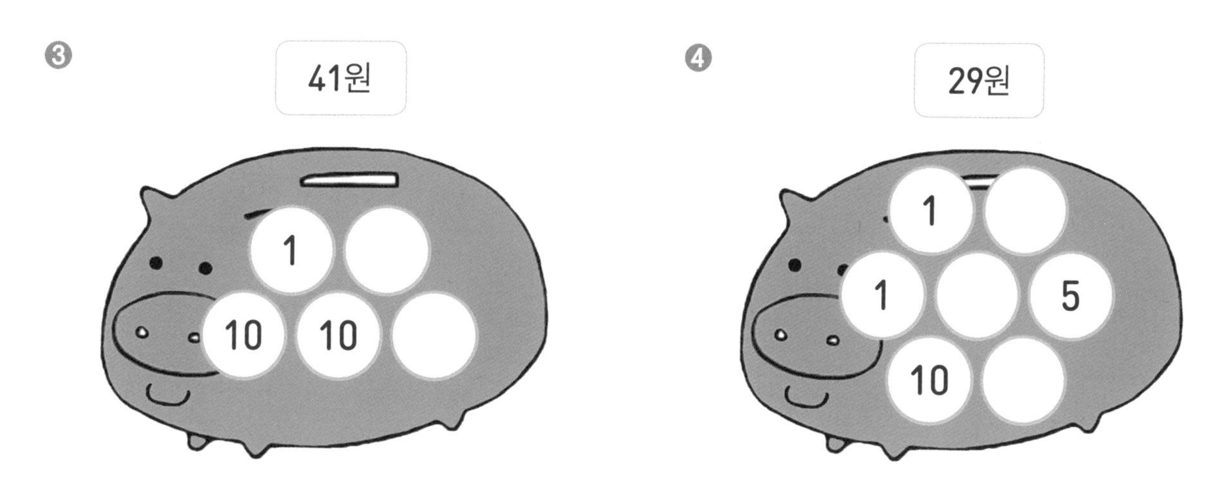

✿ 주어진 카드 중에서 한 장을 뽑으려고 합니다. 조건에 맞는 카드를 뽑는 경우의 수를 선으로 이으세요.

❺

1	2	4	4	4	5	7

조건	경우의 수
노란색	1
숫자 4	3
6보다 큰 수	4

TEST 5 마무리 평가

집에서 놀이터까지 가는 길을 모두 그려 보세요. 한 번 지난 곳은 다시 지나지 않습니다.

❶

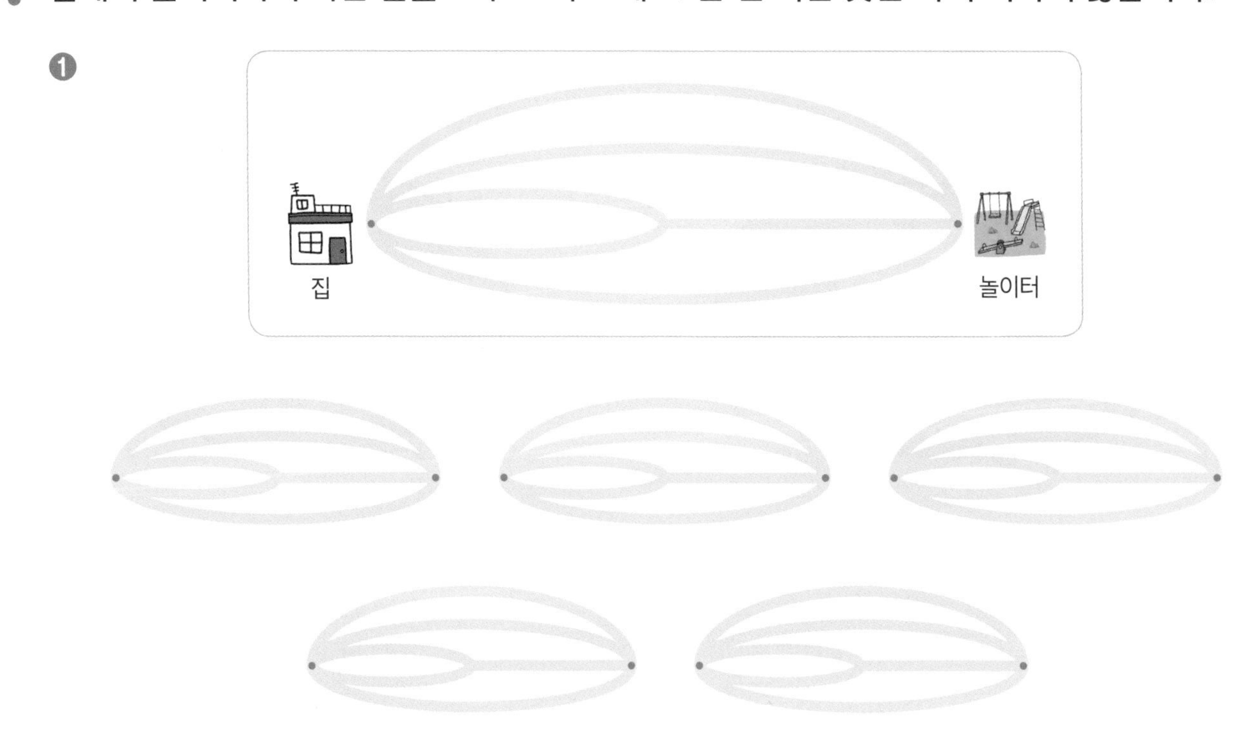

집에서 마트까지 가는 가장 짧은 길을 모두 그려 보고 몇 가지인지 구하세요.

❷

마트

집

가지

✤ 지갑 안의 금액에 맞도록 ◯ 안에 1, 5, 10 중 알맞은 수를 쓰세요.

❸

❹

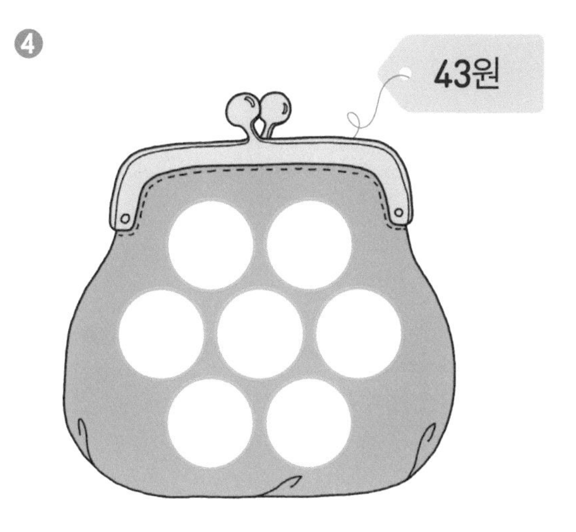

✤ 주머니에서 공을 1개 꺼내려고 합니다. 다음 중 꺼낼 가능성이 더 큰 쪽에 ◯표 하세요.

❺

1 6 2
3 4

빨간색	초록색

❻

5 5 7
5 7

5	7

pensées

사고가 자라는 수학
씨투엠

‘사고력수학의 시작’

팡세

pensées

P4

정답과 풀이

‘사고력수학의 시작’

팡세

pensées

P4

정답과 풀이

1주차 길의 가짓수

DAY 1 길 그리기 (1)

pensées

집에서 은행까지 가는 길을 모두 그려 보세요.

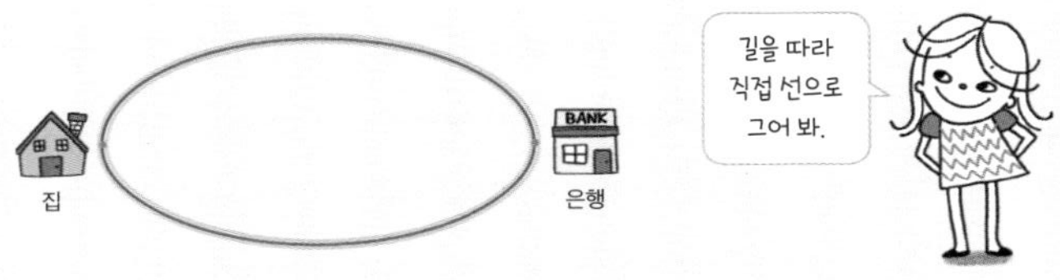

집 은행

길을 따라 직접 선으로 그어 봐.

❶

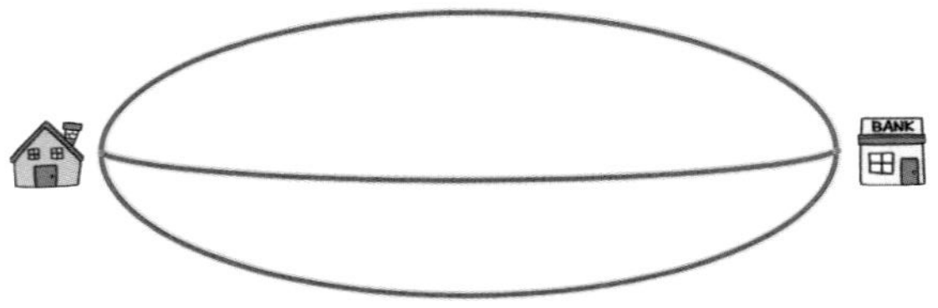

❷

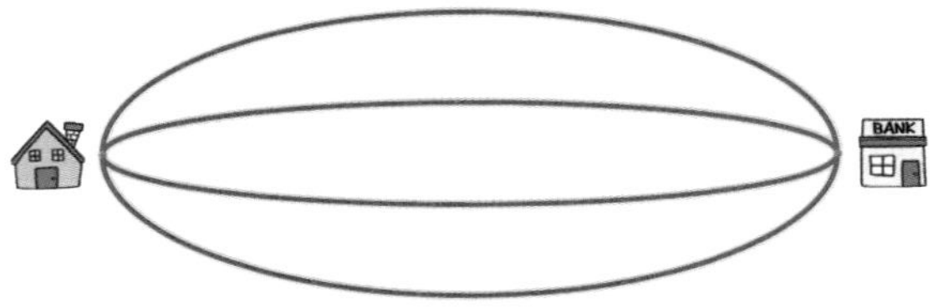

❸

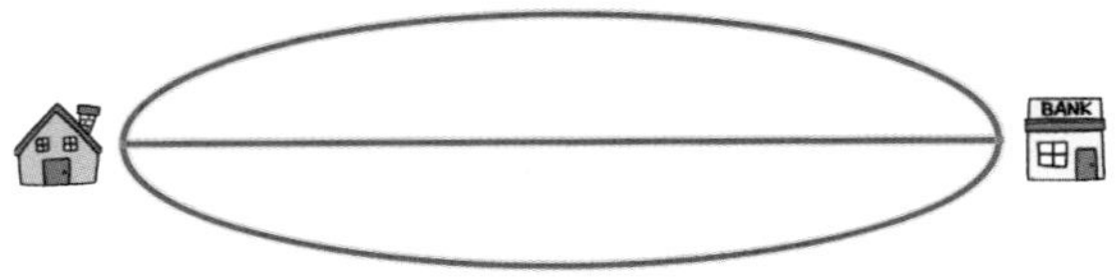

❹

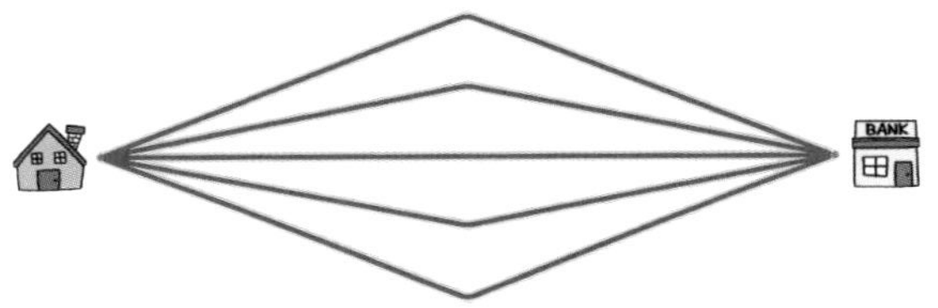

❺

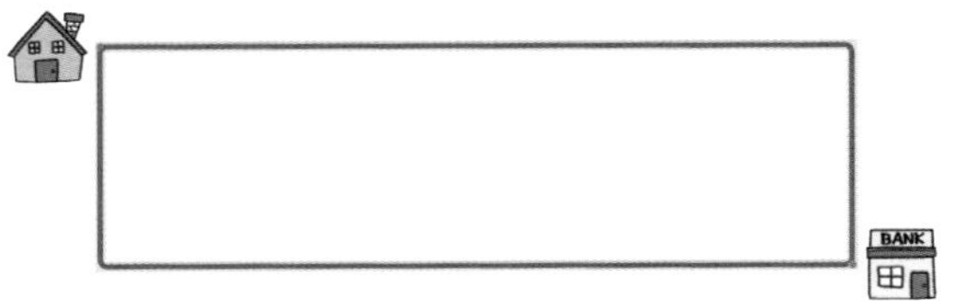

❻

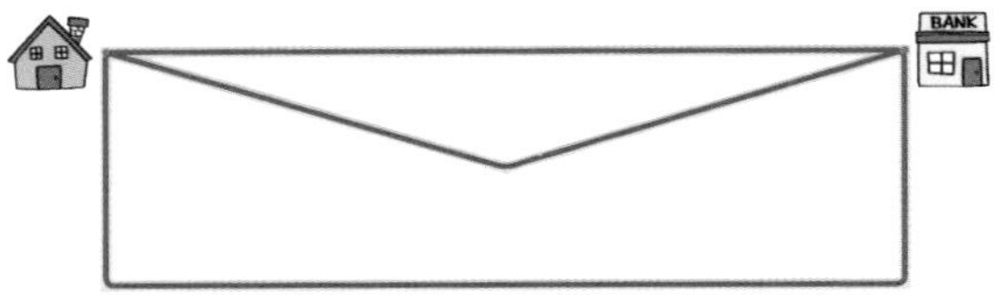

DAY 2

길의 가짓수 (1)

집에서 학교까지 가는 길은 모두 몇 가지인지 구하세요.

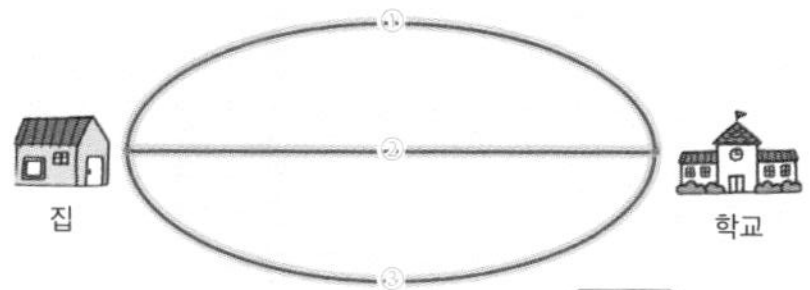

집 학교

3 가지

학교까지 가는 길의 가짓수가 ①, ②, ③으로 세 가지가 있습니다.

거리가 길고 짧은 것은 상관없어. 길의 가짓수를 세기만 하면 돼.

❶ 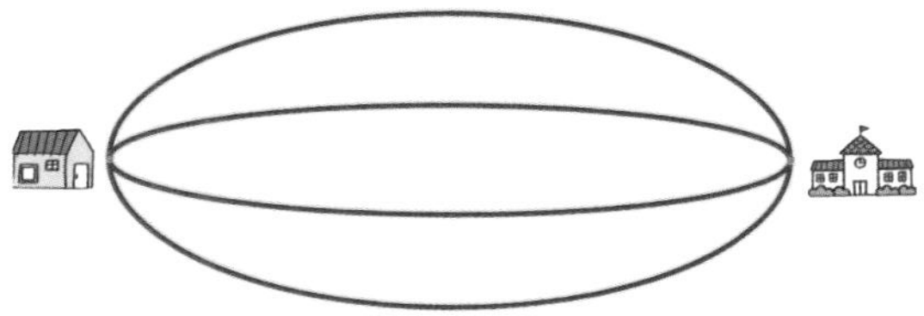 4 가지

❷ 3 가지

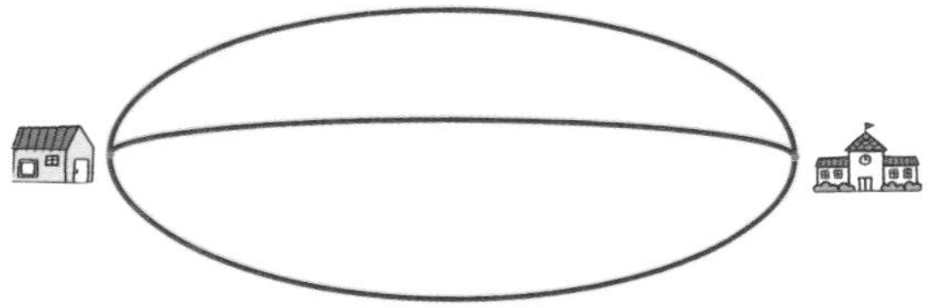

❸ 2 가지

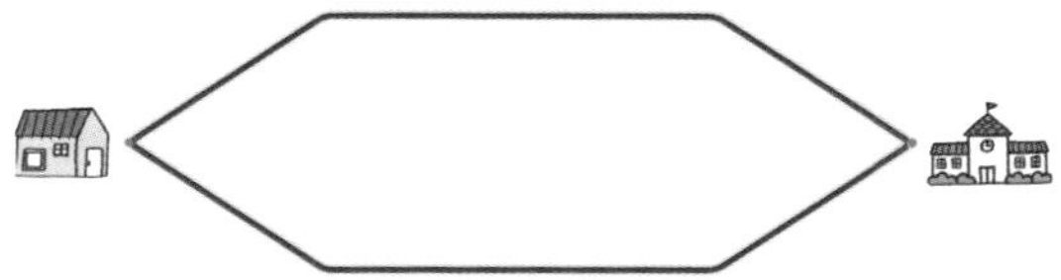

❹ 3 가지

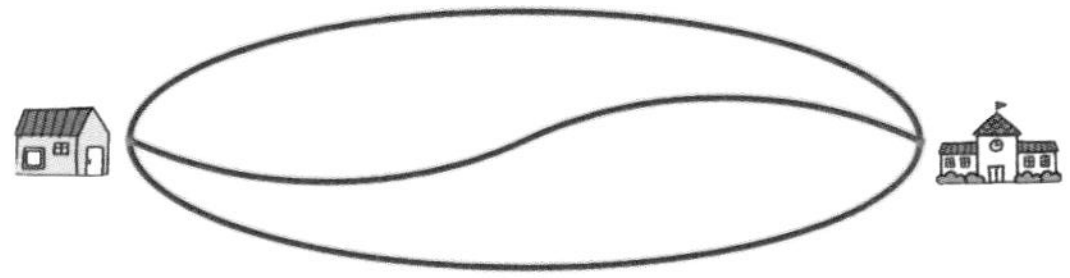

❺ 4 가지

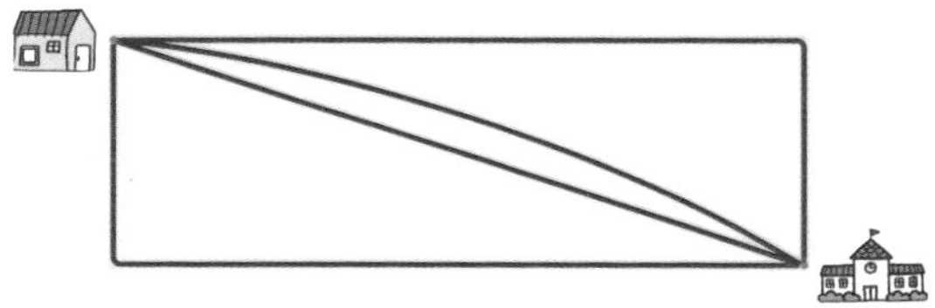

❻ 5 가지

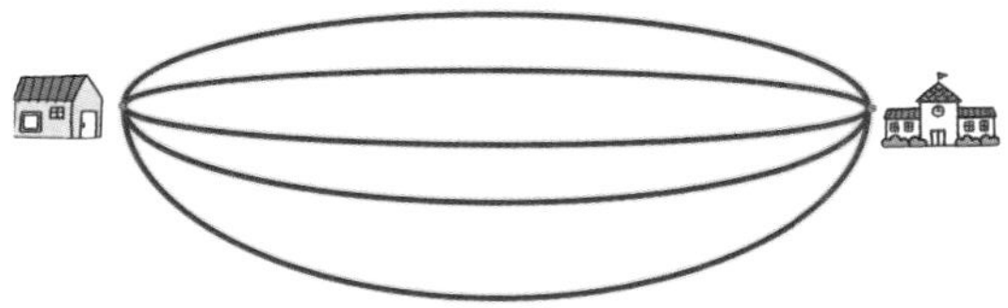

DAY 3 길 그리기 (2)

pensées

집에서 놀이터까지 가는 길을 모두 그려 보세요. 한 번 지난 곳은 다시 지나지 않습니다.

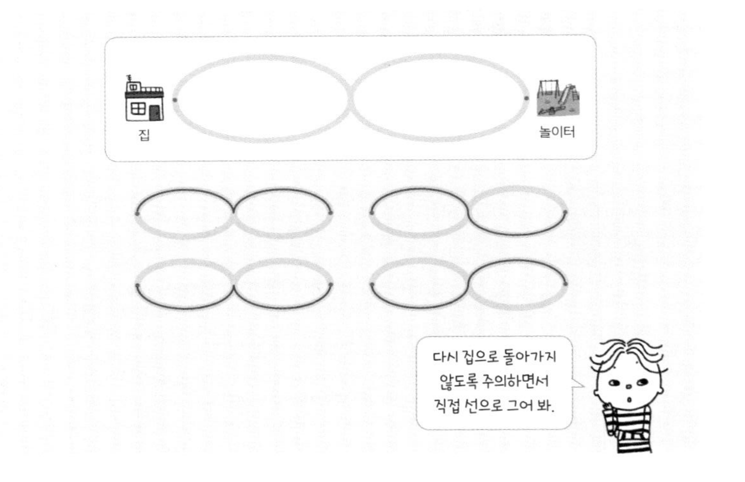

❶

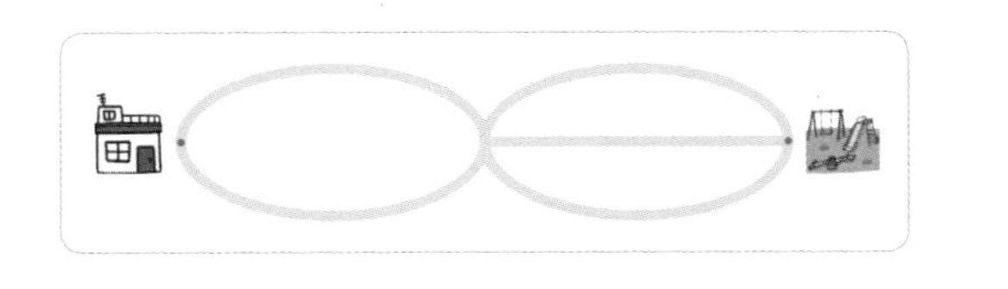

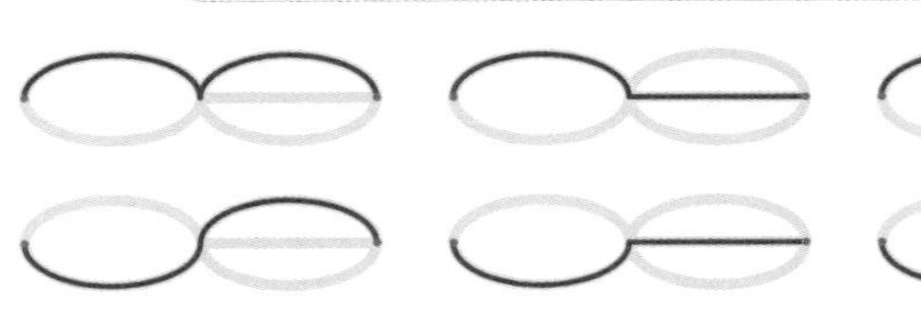

❷

❸

DAY 4

길의 가짓수 (2)

집에서 문구점까지 가는 길은 모두 몇 가지인지 구하세요. 한 번 지난 곳은 다시 지나지 않습니다.

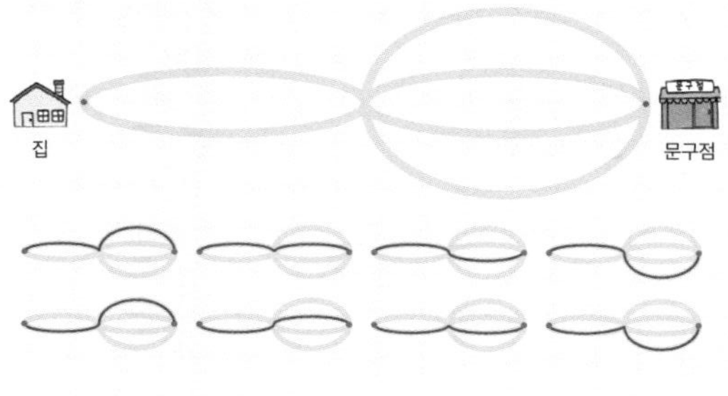

집 문구점

8 가지

빠짐없이 구할 수 있도록 해.

❶ 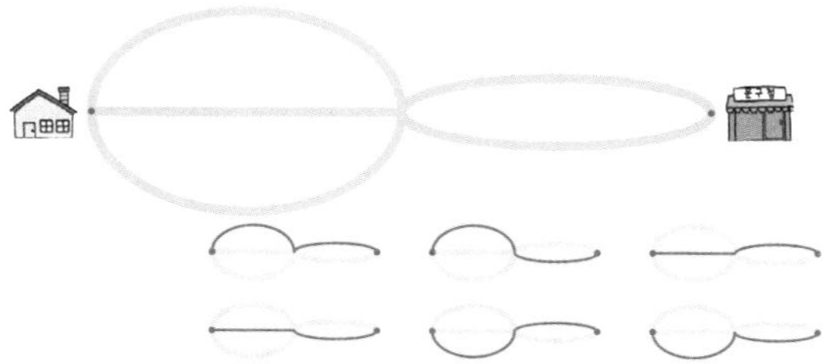 6 가지

❷ 9 가지

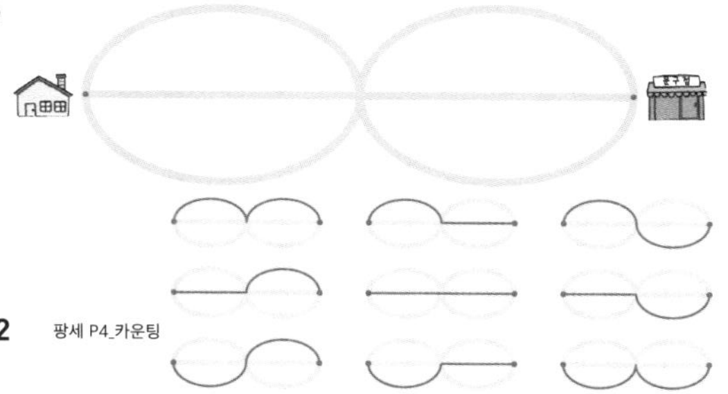

❸ 4 가지

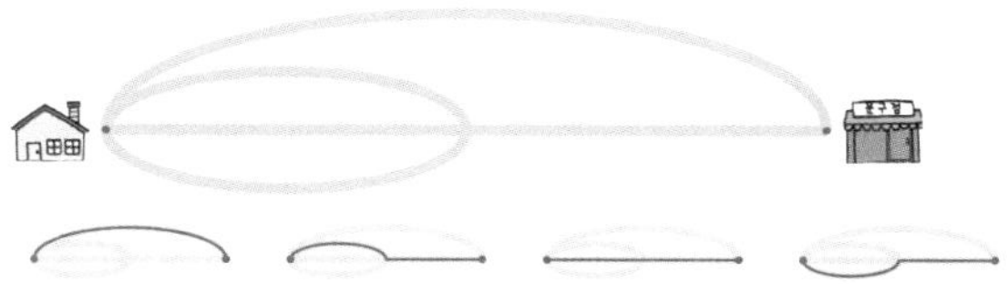

❹ 5 가지

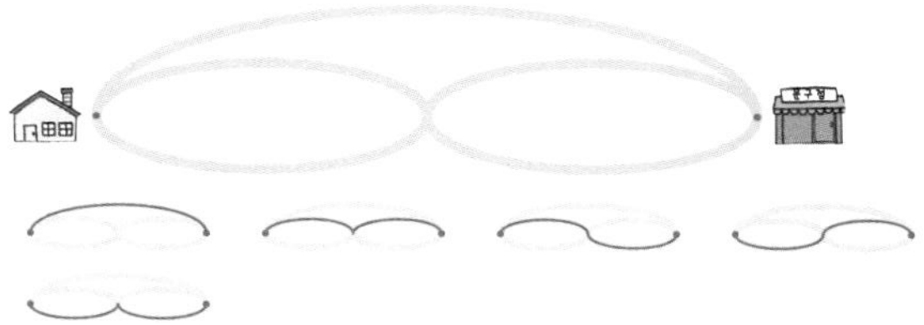

❺ 4 가지

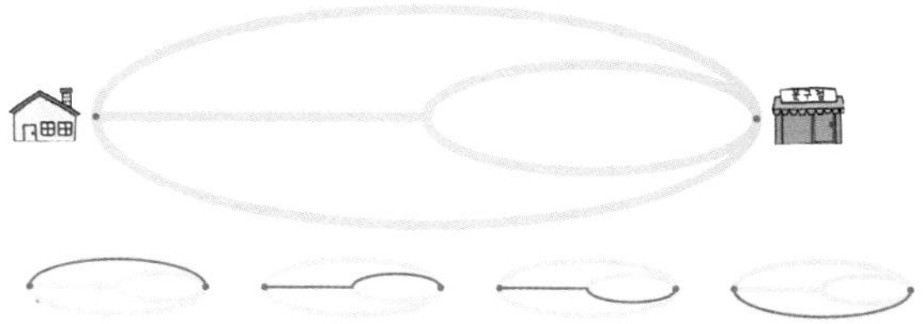

❻ 8 가지

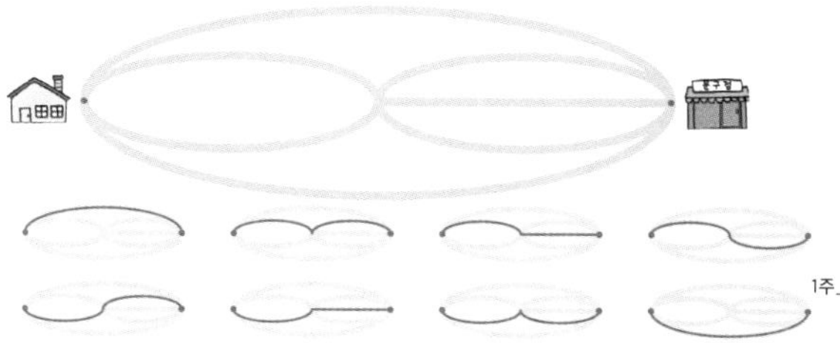

DAY 5 길의 가짓수 (3)

집에서 병원까지 가는 길을 모두 그려 보세요. 한 번 지난 곳은 다시 지나지 않습니다.

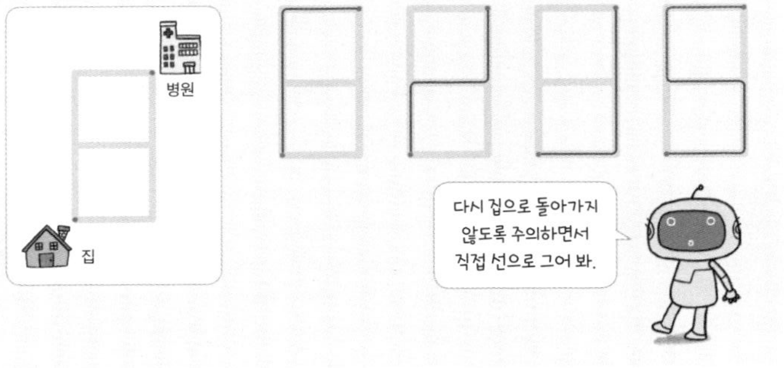

병원

집

다시 집으로 돌아가지 않도록 주의하면서 직접 선으로 그어 봐.

❶

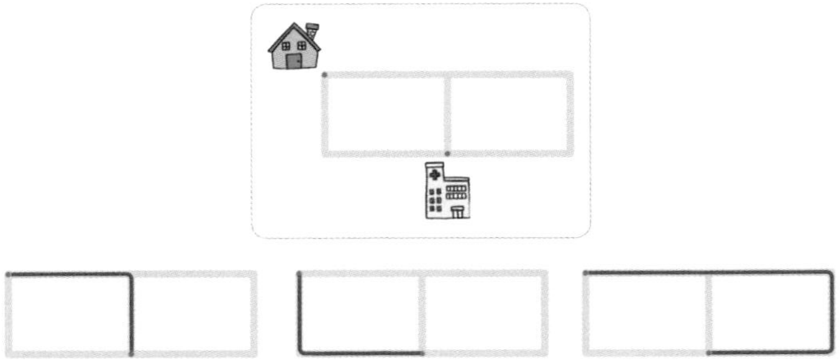

❷

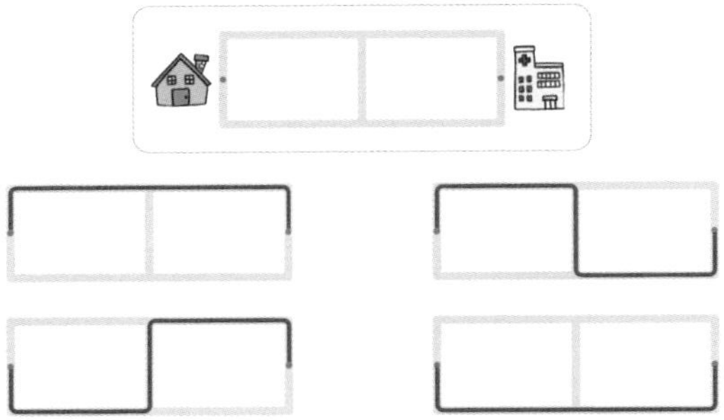

❸

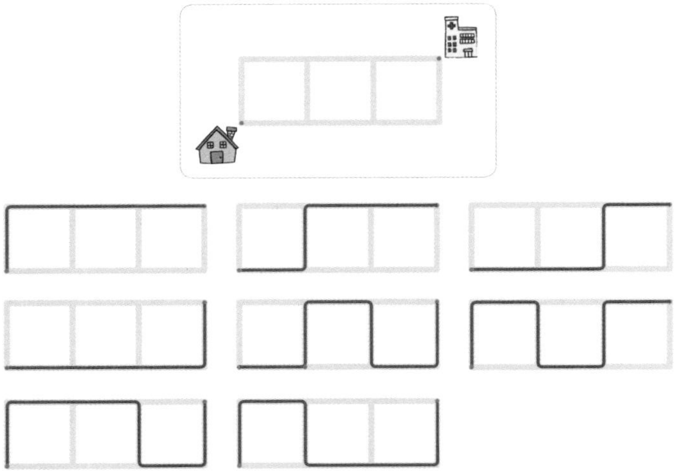

1 주차

확인학습

집에서 문구점까지 가는 길은 모두 몇 가지인지 구하세요. 한 번 지난 곳은 다시 지나지 않습니다.

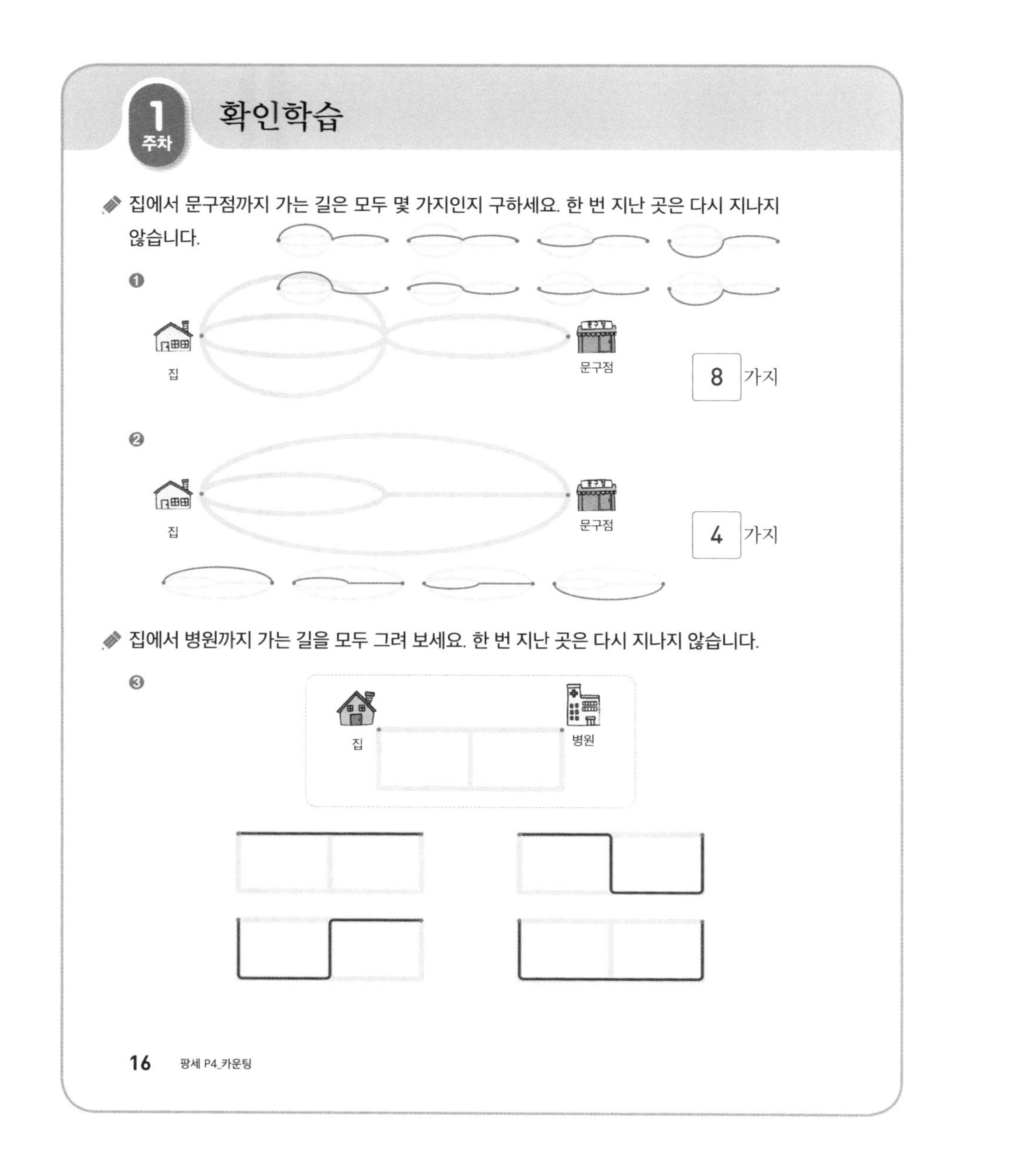

집에서 병원까지 가는 길을 모두 그려 보세요. 한 번 지난 곳은 다시 지나지 않습니다.

2주차 가장 짧은 길

DAY 1 칸 수 세기

집에서 학교까지 가는 길을 선으로 나타내었습니다. 몇 칸인지 구하세요.

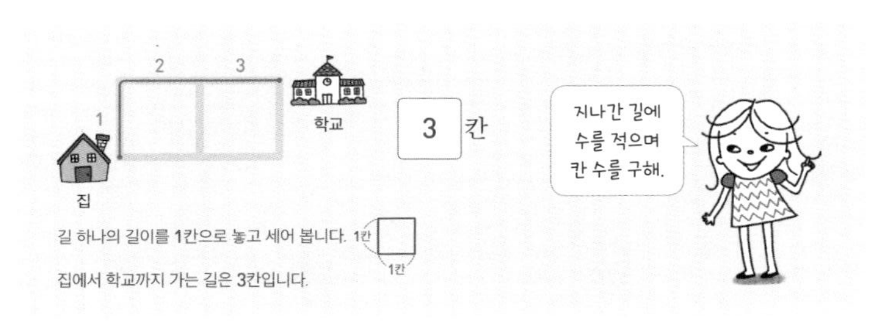

길 하나의 길이를 1칸으로 놓고 세어 봅니다.

집에서 학교까지 가는 길은 3칸입니다.

❶ 5 칸

❷ 5 칸

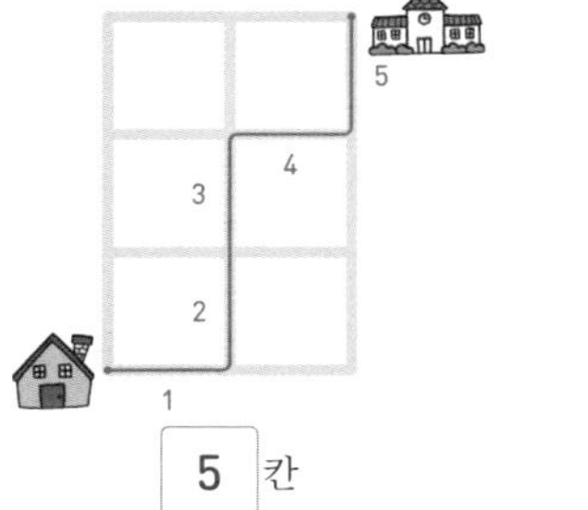

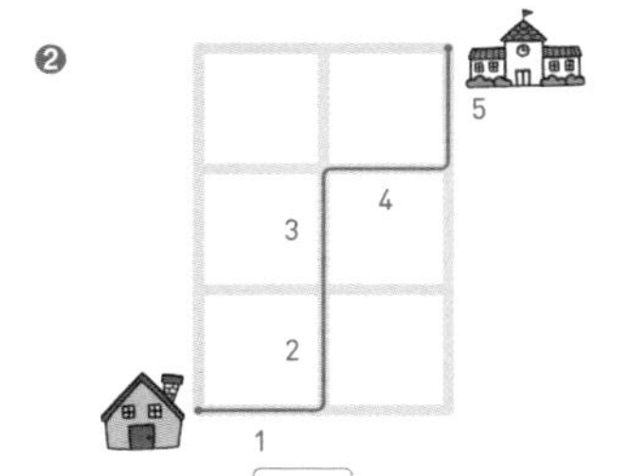

❸ 7 칸

❹ 7 칸

❺ 9 칸

❻ 11 칸

DAY 2

가장 짧은 길 (1)

다음 중 집에서 놀이터까지 가는 가장 짧은 길이 아닌 것에 ×표 하세요.

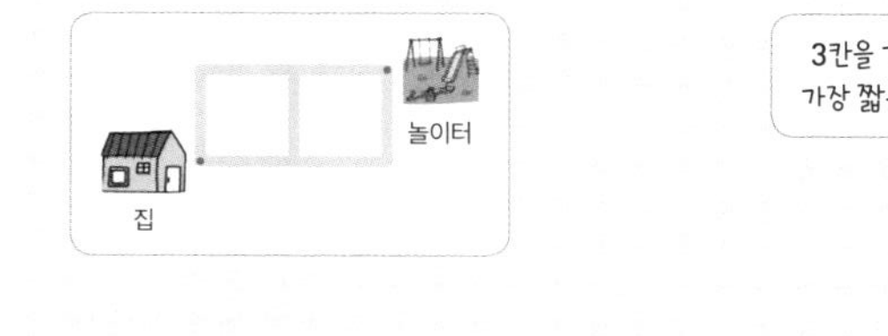

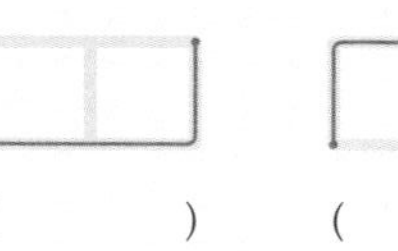

( ) ( ) ( ) (×)

❶

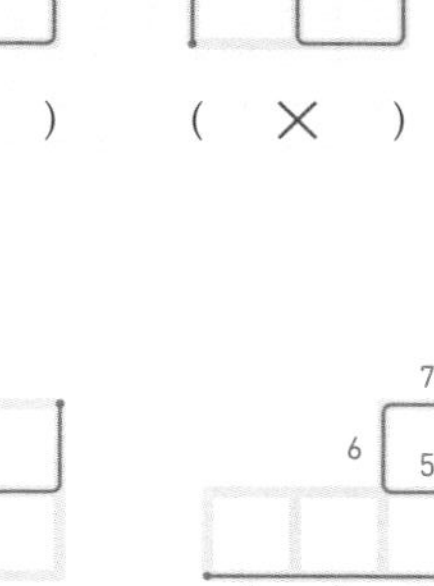

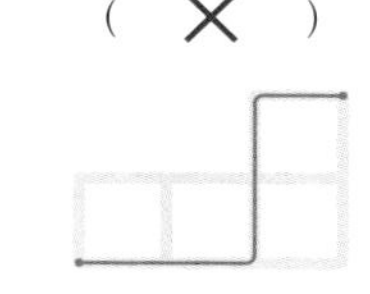

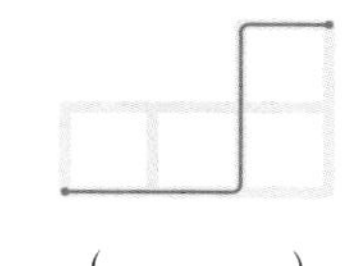

( ) (×)

( ) ( )

5칸을 가는 길이 가장 짧은 길입니다.

❷

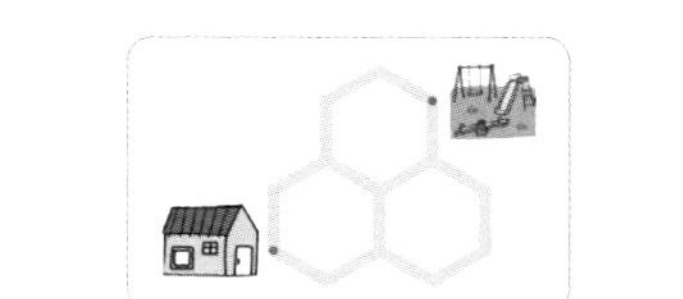

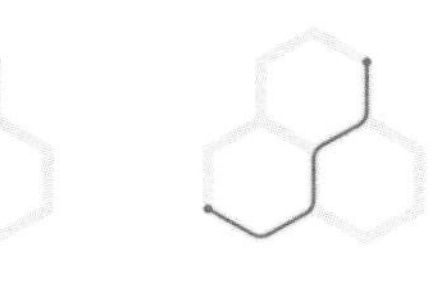

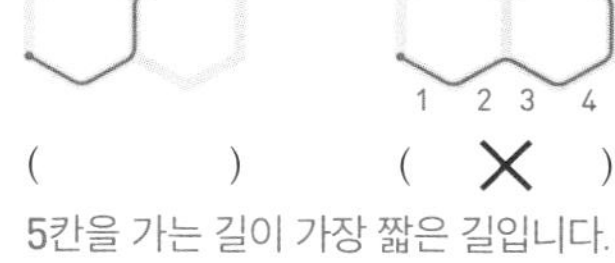

( ) ( ) (×) ( )

5칸을 가는 길이 가장 짧은 길입니다.

❸

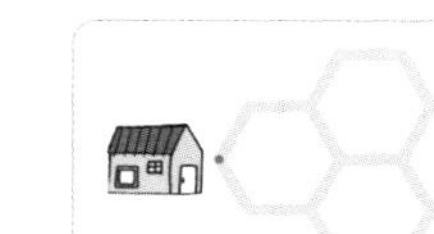

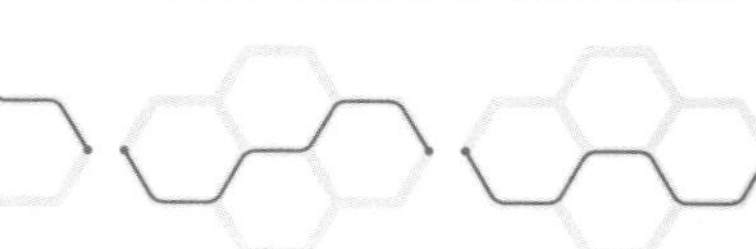

( ) ( ) ( ) (×)

7칸을 가는 길이 가장 짧은 길입니다.

DAY 3

가장 짧은 길 (2)

집에서 은행까지 가는 가장 짧은 길을 모두 그려 보세요.

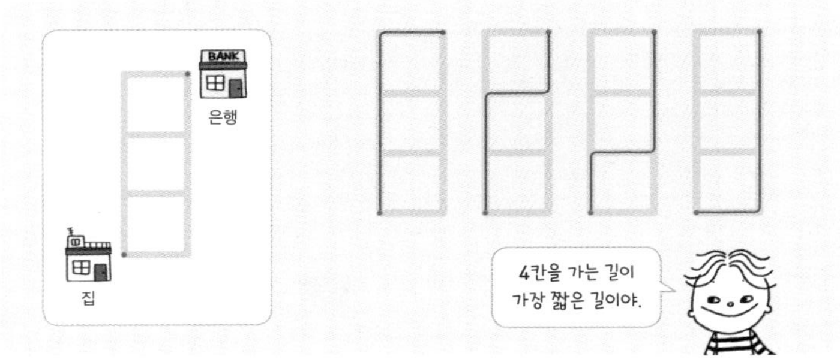

BANK
은행
집

4칸을 가는 길이 가장 짧은 길이야.

❶

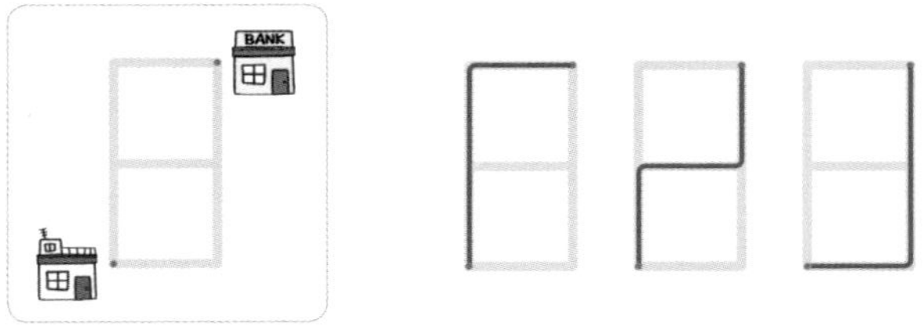

BANK

3칸을 가는 길이 가장 짧은 길입니다.

❷

BANK

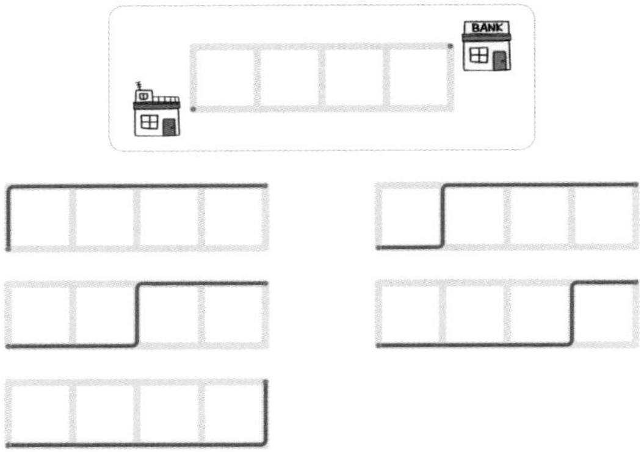

5칸을 가는 길이 가장 짧은 길입니다.

❸

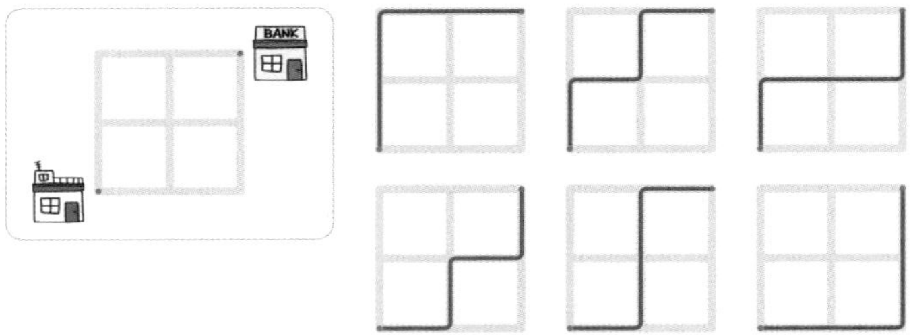

BANK

4칸을 가는 길이 가장 짧은 길입니다.

DAY 4 가장 짧은 길 (3)

집에서 병원까지 가는 가장 짧은 길을 모두 그려 보세요.

7칸을 가는 길이 가장 짧은 길입니다.

❶

5칸을 가는 길이 가장 짧은 길입니다.

❷

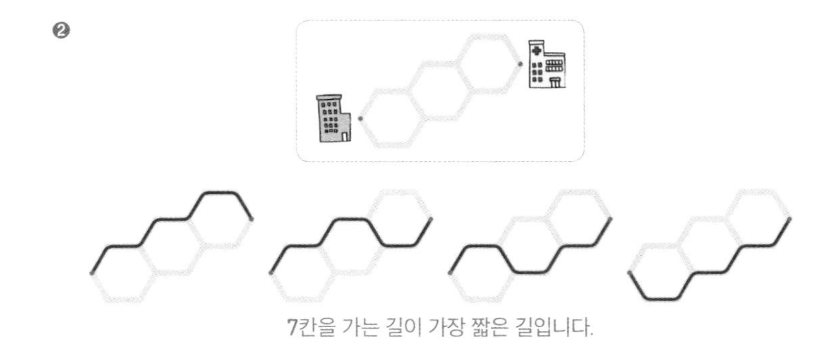

7칸을 가는 길이 가장 짧은 길입니다.

❸

7칸을 가는 길이 가장 짧은 길입니다.

DAY 5 가장 짧은 길의 가짓수

✎ 집에서 마트까지 가는 가장 짧은 길을 모두 그려 보고 몇 가지인지 구하세요.

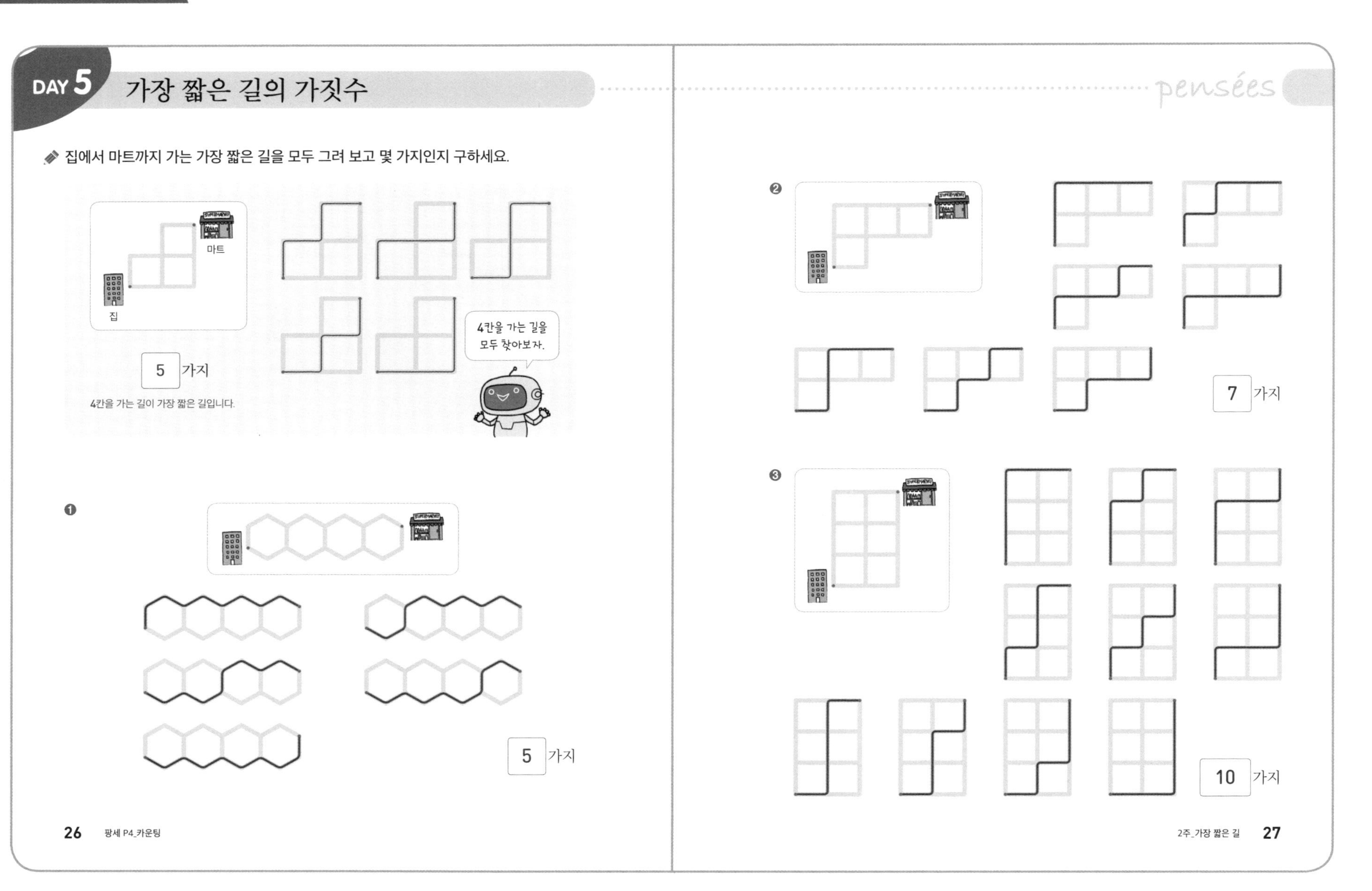

마트
집
5 가지
4칸을 가는 길이 가장 짧은 길입니다.
4칸을 가는 길을 모두 찾아보자.
❶
5 가지
❷
7 가지
❸
10 가지

확인학습

집에서 은행까지 가는 가장 짧은 길을 모두 그려 보세요.

❶

❷

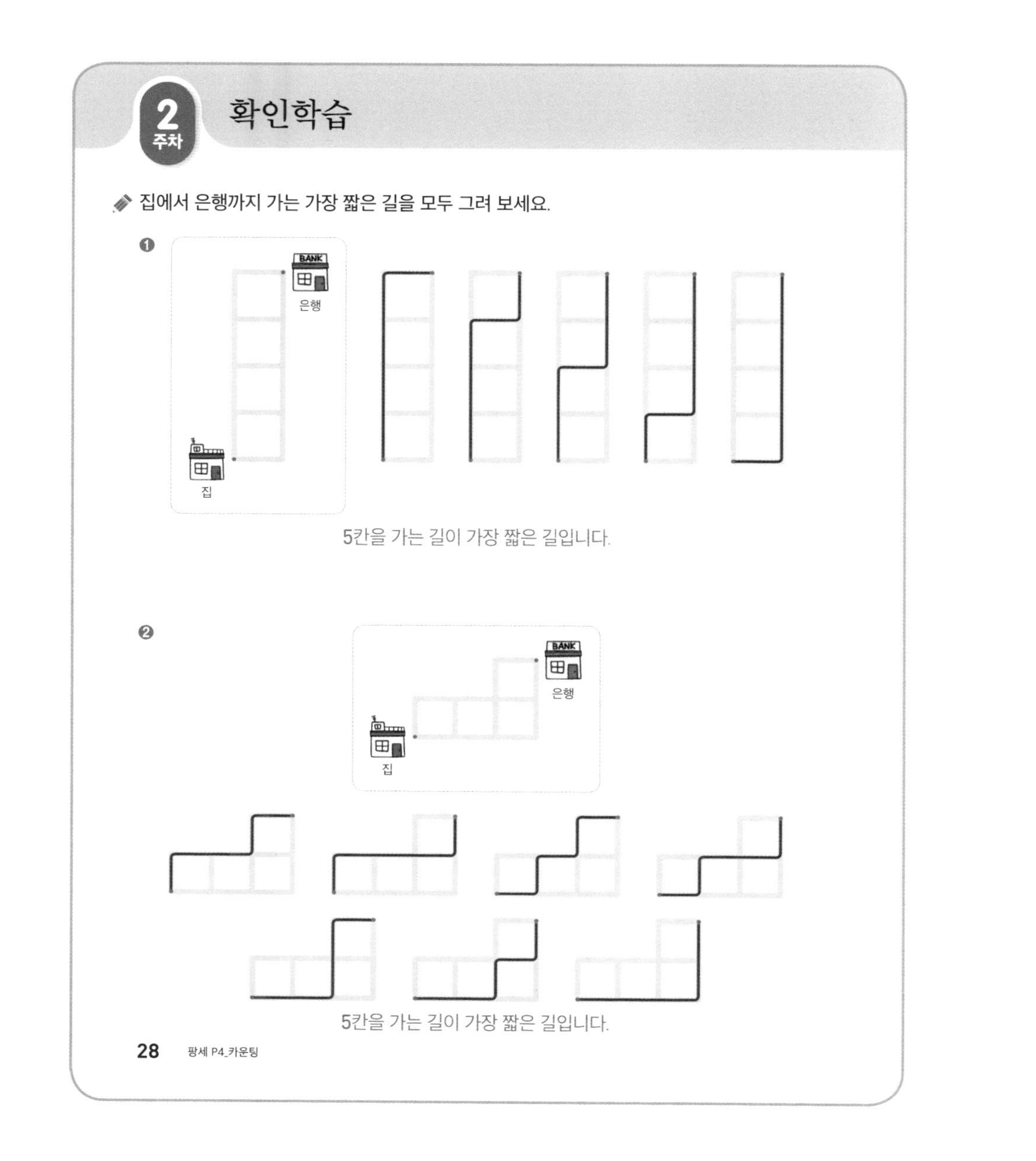

5칸을 가는 길이 가장 짧은 길입니다.

5칸을 가는 길이 가장 짧은 길입니다.

3주차 동전과 금액

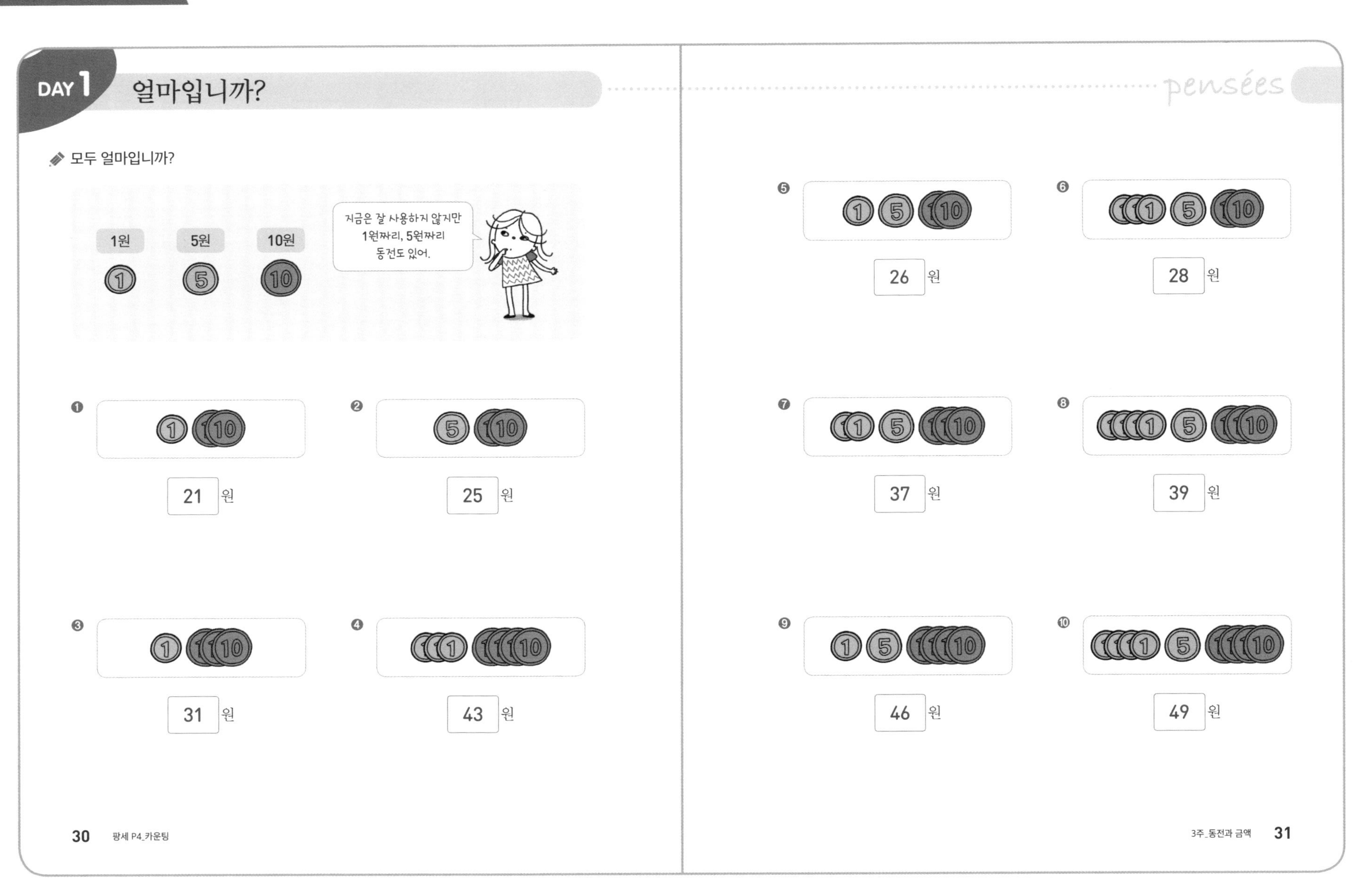

DAY 1 얼마입니까?

pensées

✎ 모두 얼마입니까?

1원 5원 10원

❶ 21 원

❷ 25 원

❸ 31 원

❹ 43 원

❺ 26 원

❻ 28 원

❼ 37 원

❽ 39 원

❾ 46 원

❿ 49 원

DAY 2 동전 잇기

✎ 금액에 맞게 선을 그어 보세요. 선은 가로, 세로로만 그을 수 있습니다.

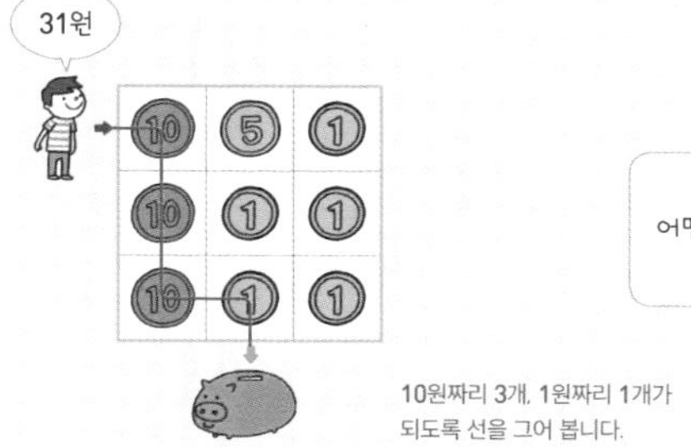
31원

10원짜리 3개, 1원짜리 1개가
되도록 선을 그어 봅니다.

31원이 되려면
어떤 동전이 몇 개 있어야
하는지 생각해 봐.

❶

22원

10원짜리 2개, 1원짜리 2개가
되도록 선을 그어 봅니다.

❷ 45원

10원짜리 4개, 5원짜리 1개가
되도록 선을 그어 봅니다.

❸ 33원

10원짜리 3개, 1원짜리 3개가
되도록 선을 그어 봅니다.

❹

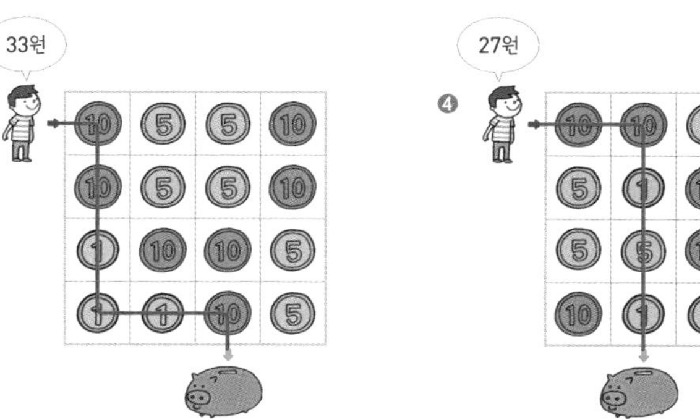
27원

10원짜리 2개, 5원짜리 1개, 1원짜리 2개가 되도록 선을 그어 봅니다.

❺

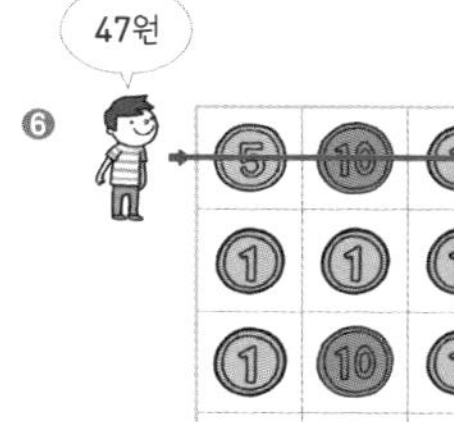
36원

10원짜리 3개, 5원짜리 1개, 1원짜리 1개가 되도록 선을 그어 봅니다.

❻ 47원

10원짜리 4개, 5원짜리 1개, 1원짜리 2개가 되도록 선을 그어 봅니다.

DAY 3 금액 만들기 (1)

저금통 안의 금액에 맞도록 ◯ 안에 1, 5, 10 중 알맞은 수를 쓰세요.

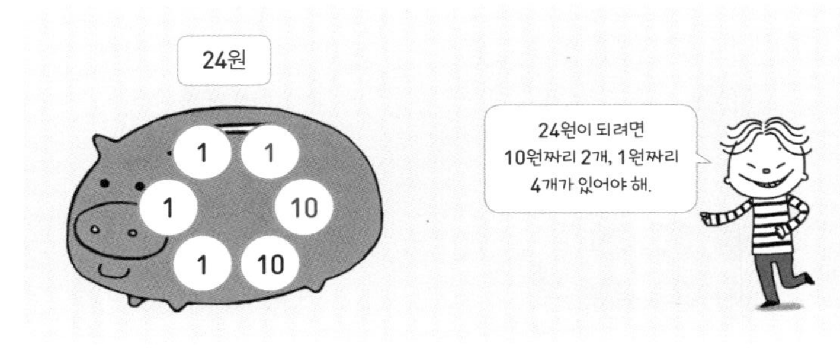

❶ 32원

1 10
1 10 10

10원짜리 3개, 1원짜리 2개가 있어야 합니다.

❷ 41원

10 1
10 10 10

10원짜리 4개, 1원짜리 1개가 있어야 합니다.

❸ 35원

5 10
10 10

10원짜리 3개, 5원짜리 1개가 있어야 합니다.

❹ 27원

1 5 1
10 10

10원짜리 2개, 5원짜리 1개, 1원짜리 2개가 있어야 합니다.

❺ 38원

1 1
10 1 5
10 10

10원짜리 3개, 5원짜리 1개, 1원짜리 3개가 있어야 합니다.

❻ 48원

1 1 5
1 10 10 10
10

10원짜리 4개, 5원짜리 1개, 1원짜리 3개가 있어야 합니다.

DAY 4

금액 만들기 (2)

지갑 안의 금액에 맞도록 ◯ 안에 1, 5, 10 중 알맞은 수를 쓰세요.

❶

10원짜리 2개, 1원짜리 3개가 있어야 합니다.

❷

10원짜리 3개, 1원짜리 4개가 있어야 합니다.

❸

10원짜리 4개, 5원짜리 1개가 있어야 합니다.

❹

10원짜리 2개, 5원짜리 1개, 1원짜리 1개가 있어야 합니다.

❺

10원짜리 3개, 5원짜리 1개, 1원짜리 3개가 있어야 합니다.

❻

10원짜리 4개, 5원짜리 1개, 1원짜리 4개가 있어야 합니다.

3주차 동전과 금액

DAY 5 금액 만들기 (3)

가장 적은 개수의 동전으로 주어진 금액이 되도록 동전을 그려 보세요.

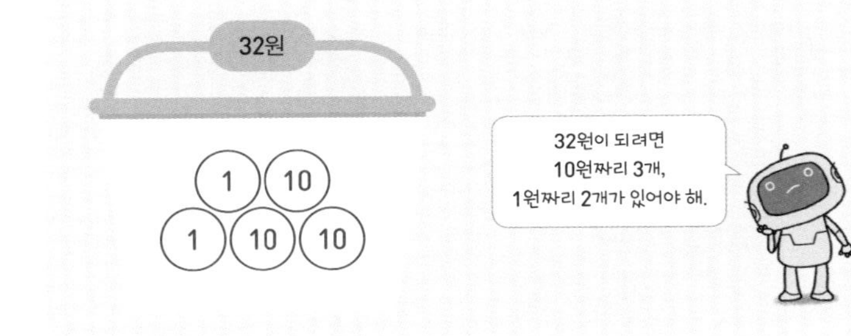
32원
1
10
1
10
10
32원이 되려면
10원짜리 3개,
1원짜리 2개가 있어야 해.

❶ 23원

1 10
1 1 10

10원: 2개
1원: 3개

❷ 44원

1 1 1
1 10 10
10 10

10원: 4개
1원: 4개

❸ 35원

10 10
5 10

10원: 3개
5원: 1개

❹ 29원

1 1
1 1 5
10 10

10원: 2개
5원: 1개
1원: 4개

❺ 37원

1 1
5 10
10 10

10원: 3개
5원: 1개
1원: 2개

❻ 46원

1 5 10
10 10 10

10원: 4개
5원: 1개
1원: 1개

3 주차

확인학습

✎ 저금통 안의 금액에 맞도록 ◯ 안에 1, 5, 10 중 알맞은 수를 쓰세요.

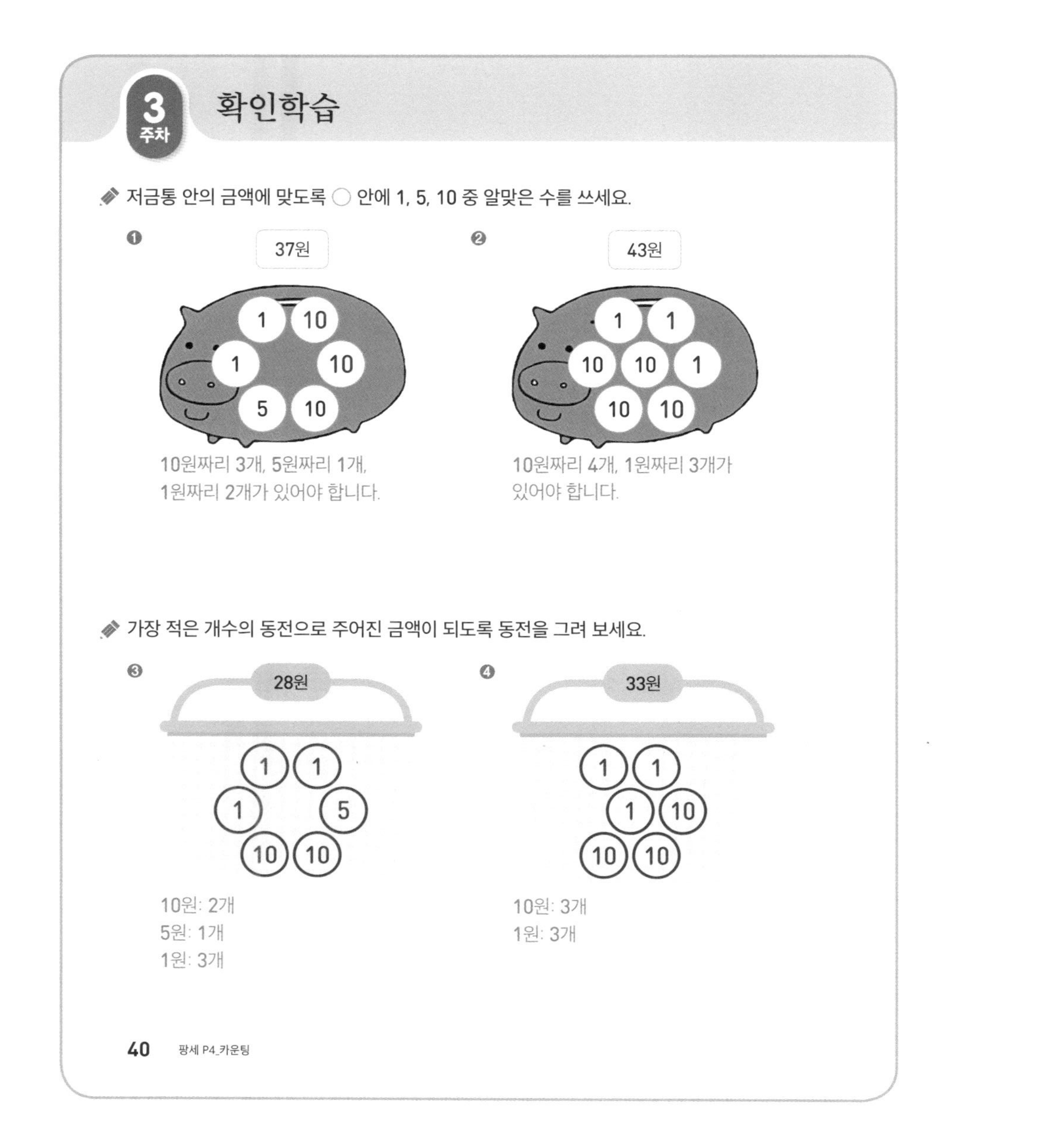

❶
37원
1 10 1 10 5 10
10원짜리 3개, 5원짜리 1개,
1원짜리 2개가 있어야 합니다.
❷
43원
1 1 10 10 1 10 10
10원짜리 4개, 1원짜리 3개가
있어야 합니다.
✎ 가장 적은 개수의 동전으로 주어진 금액이 되도록 동전을 그려 보세요.
❸
28원
1 1 1 5 10 10
10원: 2개
5원: 1개
1원: 3개
❹
33원
1 1 1 10 10 10
10원: 3개
1원: 3개

4주차 경우의 수

DAY 1 공 꺼내기 (1)

✎ 상자에서 공을 1개 꺼냈을 때 나올 수 있는 공에 모두 ◯표 하고, 색깔이 다른 공을 꺼내는 경우의 수를 구하세요.

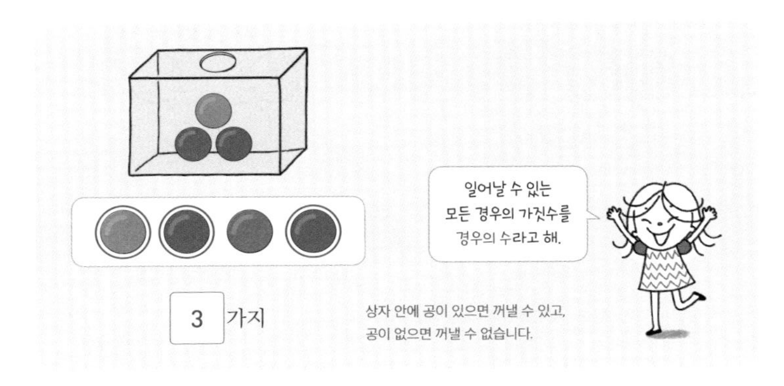

일어날 수 있는
모든 경우의 가짓수를
경우의 수라고 해.

3 가지

상자 안에 공이 있으면 꺼낼 수 있고,
공이 없으면 꺼낼 수 없습니다.

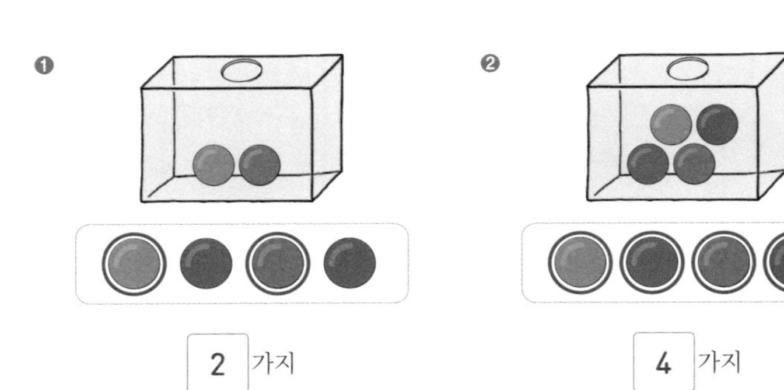

❶ 2 가지

❷ 4 가지

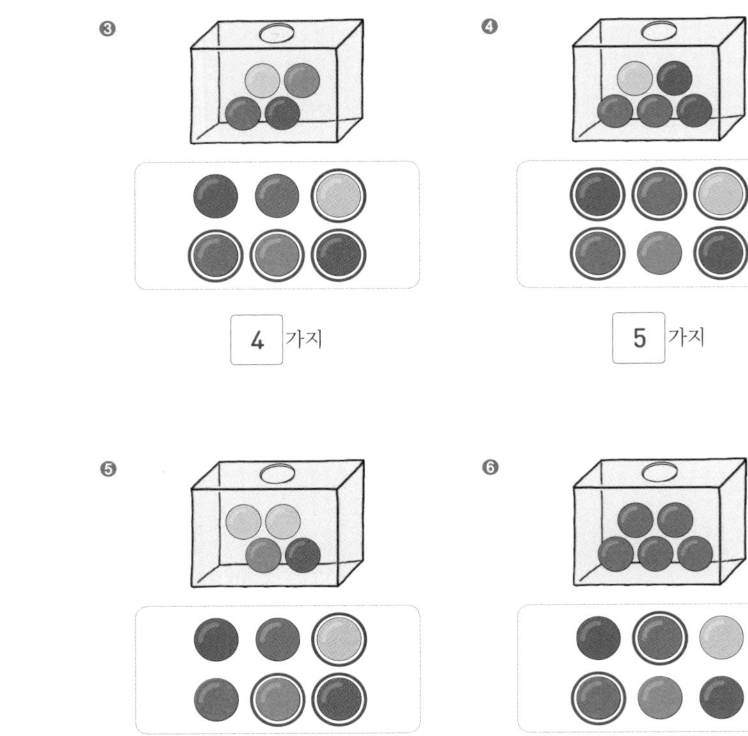

❸ 4 가지

❹ 5 가지

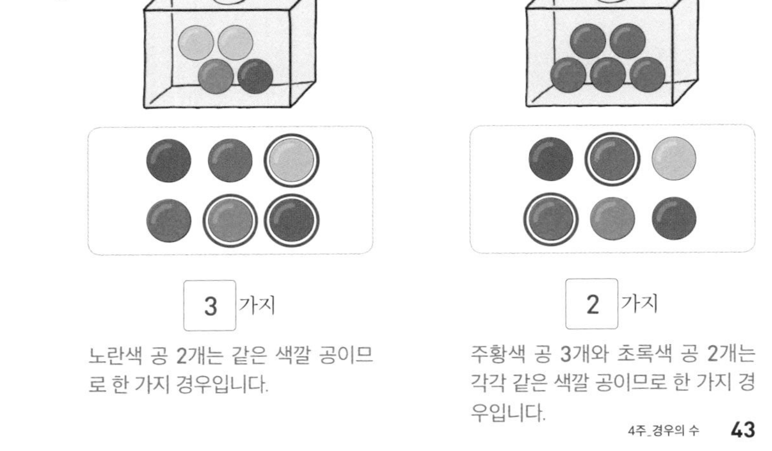

❺ 3 가지

노란색 공 2개는 같은 색깔 공이므로 한 가지 경우입니다.

❻ 2 가지

주황색 공 3개와 초록색 공 2개는 각각 같은 색깔 공이므로 한 가지 경우입니다.

공 꺼내기 (2)

주머니에서 공을 1개 꺼냈을 때 나올 수 있는 공에 모두 ○표 하고, 서로 다른 공을 꺼내는 경우의 수를 구하세요.

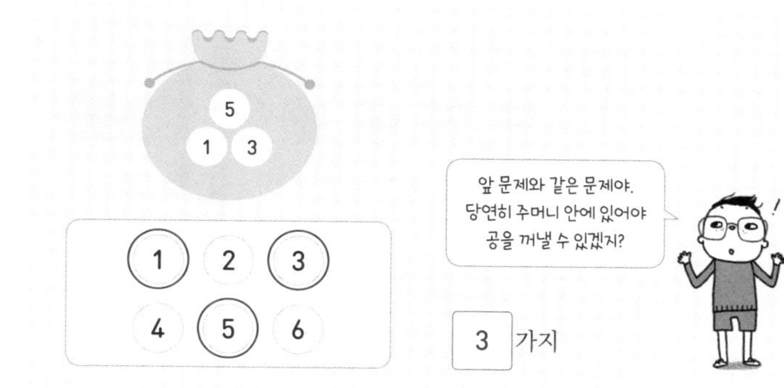

앞 문제와 같은 문제야.
당연히 주머니 안에 있어야
공을 꺼낼 수 있겠지?

3 가지

❶

4 가지

❷

5 가지

❸

3 가지

❹

2 가지

❺

6 가지

❻

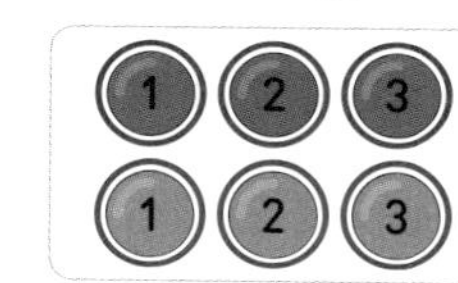

7 가지

공의 숫자와 색깔을 모두 생각해야 합니다.

DAY 3 여러 가지 경우의 수 (1)

pensées

상자에서 공을 1개 꺼내려고 합니다. 조건에 맞는 공에 모두 ○표 한 후 조건에 맞는 공을 꺼내는 경우의 수를 구하세요.

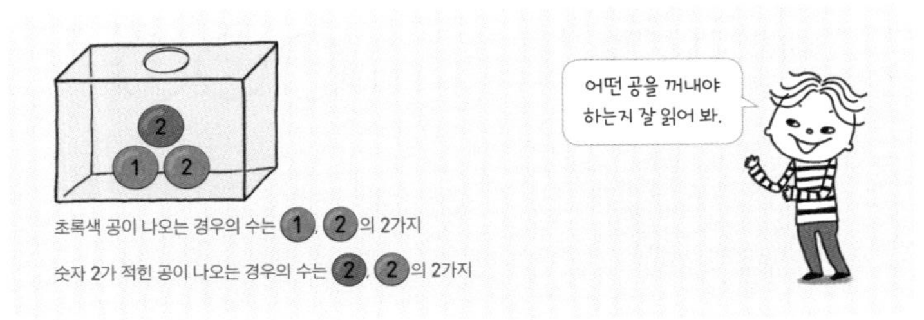

어떤 공을 꺼내야
하는지 잘 읽어 봐.
초록색 공이 나오는 경우의 수는 1, 2의 2가지
숫자 2가 적힌 공이 나오는 경우의 수는 2, 2의 2가지

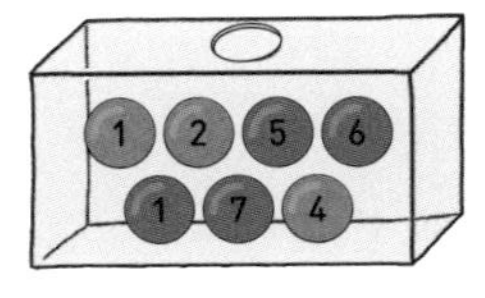

❶ 초록색 공이 나오는 경우

1 2 4 1 5 6 7 — 3 가지

❷ 3보다 큰 수가 적힌 공이 나오는 경우

1 2 4 1 5 6 7 — 4 가지

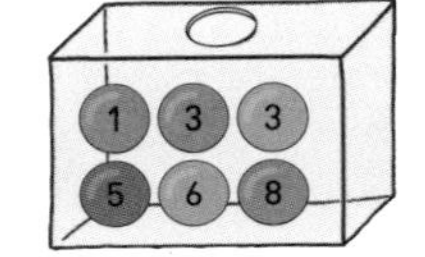

❸ 초록색 공이 나오는 경우

1 3 8 3 6 5 — 3 가지

❹ 빨간색 공이 나오는 경우

1 3 8 3 6 5 — 1 가지

❺ 3이 적힌 공이 나오는 경우

1 3 8 3 6 5 — 2 가지

❻ 7보다 작은 수가 적힌 공이 나오는 경우

1 3 8 3 6 5 — 5 가지

DAY 4 여러 가지 경우의 수 (2)

주어진 카드 중에서 한 장을 뽑으려고 합니다. 조건에 맞는 카드를 뽑는 경우의 수를 선으로 이으세요.

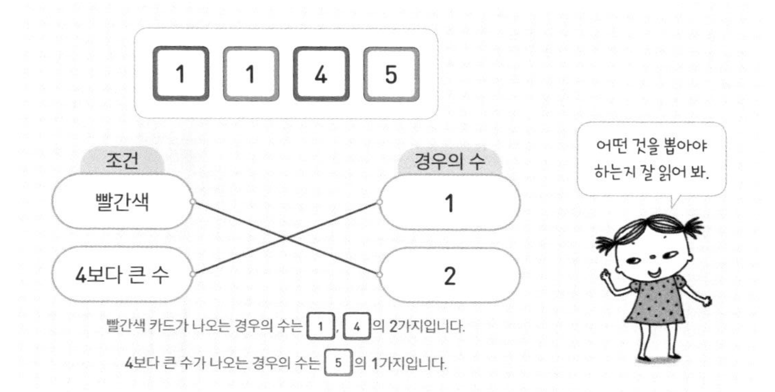

빨간색 카드가 나오는 경우의 수는 1, 4의 2가지입니다.

4보다 큰 수가 나오는 경우의 수는 5의 1가지입니다.

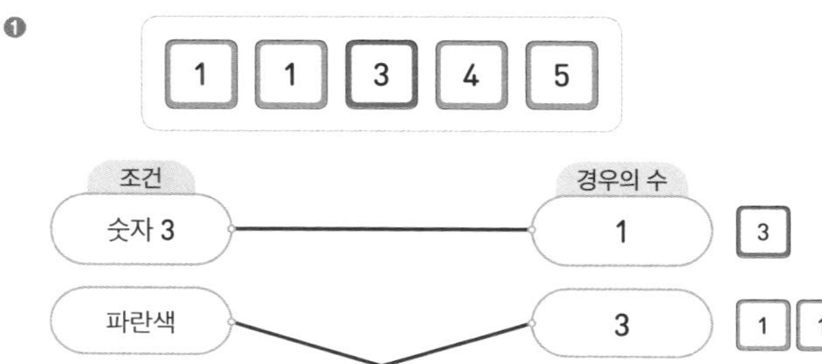

❶

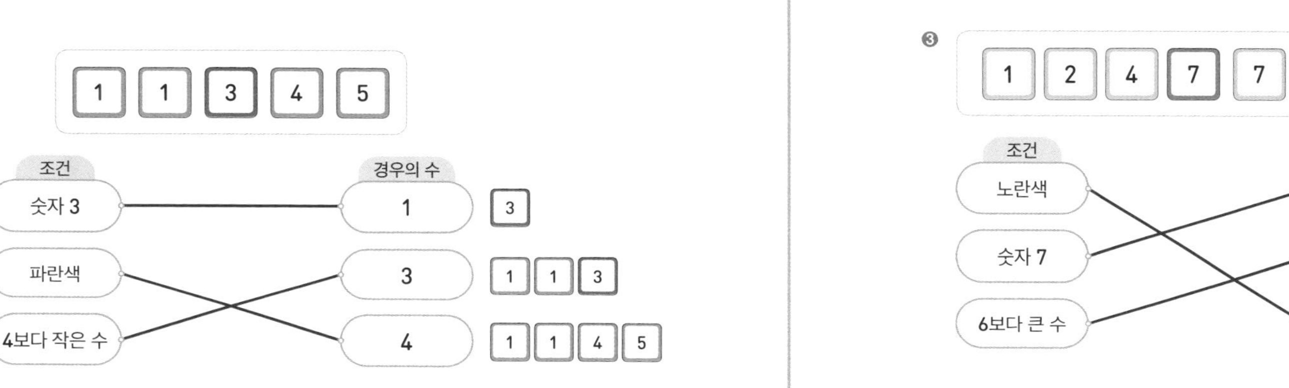

❷

1 2 3 1 2 4

조건	경우의 수
초록색	2
숫자 2	3
3보다 작은 수	4

2 2

1 2 3

1 2 1 2

❸

1 2 4 7 7 8 9

조건	경우의 수
노란색	2
숫자 7	4
6보다 큰 수	5

7 7

7 7 8 8

1 2 4 7 8

DAY 5 가능성

주머니에서 공을 1개 꺼내려고 합니다. 꺼낼 가능성이 더 큰 쪽에 ○표 하세요.

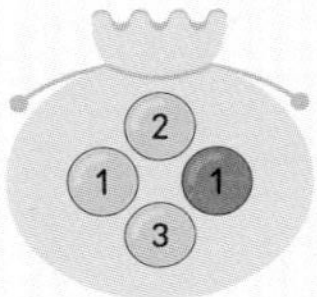

노란색	초록색

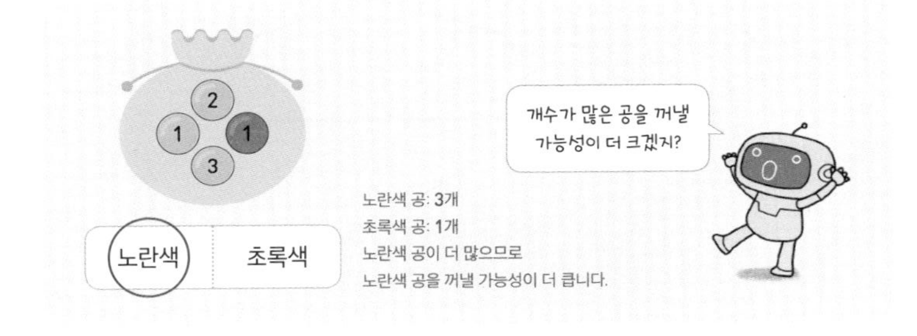

노란색 공: 3개
초록색 공: 1개
노란색 공이 더 많으므로
노란색 공을 꺼낼 가능성이 더 큽니다.

❶

노란색	**초록색**

노란색 공: 1개
초록색 공: 4개
초록색 공을 꺼낼 가능성이 더 큽니다.

❷

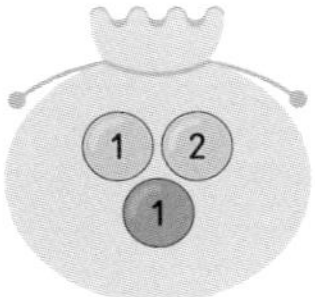

노란색	파란색

노란색 공: 2개
파란색 공: 1개
노란색 공을 꺼낼 가능성이 더 큽니다.

❸

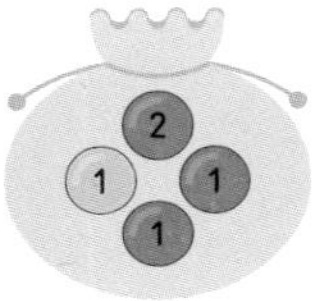

1	2

①: 3개
②: 1개
1이 적힌 공을 꺼낼 가능성이 더 큽니다.

❹

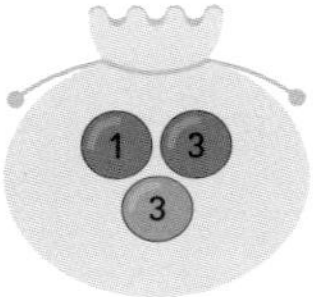

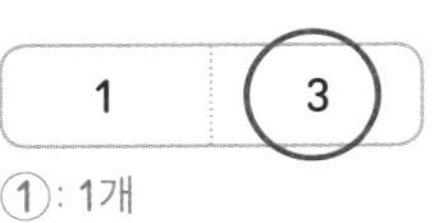

1	**3**

①: 1개
③: 2개
3이 적힌 공을 꺼낼 가능성이 더 큽니다.

❺

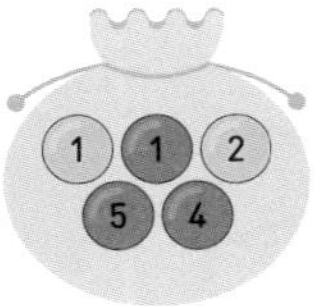

3보다 작은 수	3보다 큰 수

3보다 작은 수가 적힌 공: 3개
3보다 큰 수가 적힌 공: 2개
3보다 작은 수가 적힌 공을 꺼낼 가능성이 더 큽니다.

❻

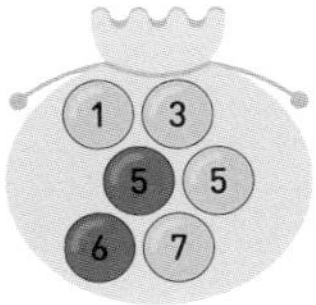

4보다 작은 수	**4보다 큰 수**

4보다 작은 수가 적힌 공: 2개
4보다 큰 수가 적힌 공: 4개
4보다 큰 수가 적힌 공을 꺼낼 가능성이 더 큽니다.

확인학습

상자에서 공을 1개 꺼내려고 합니다. 조건에 맞는 공에 모두 ○표 한 후 조건에 맞는 공을 꺼내는 경우의 수를 구하세요.

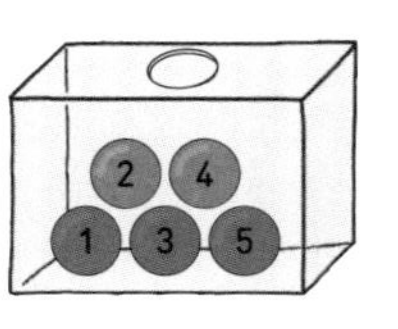

❶ 빨간색 공이 나오는 경우

2 4 ①③⑤ → 3 가지

❷ 3보다 큰 수가 적힌 공이 나오는 경우

2 ④ 1 3 ⑤ → 2 가지

주머니에서 공을 1개 꺼내려고 합니다. 꺼낼 가능성이 더 큰 쪽에 ○표 하세요.

❸

노란색 | (초록색)

노란색 공: 1개
초록색 공: 4개
초록색 공을 꺼낼 가능성이 더 큽니다.

❹

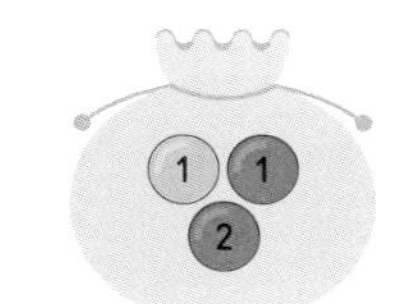

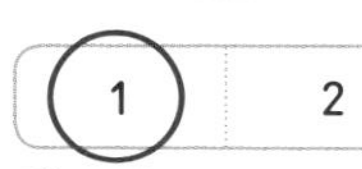

(1) | 2

①: 2개
②: 1개
1이 적힌 공을 꺼낼 가능성이 더 큽니다.

TEST 1 마무리 평가

제한 시간 15분
맞은 개수 / 5개

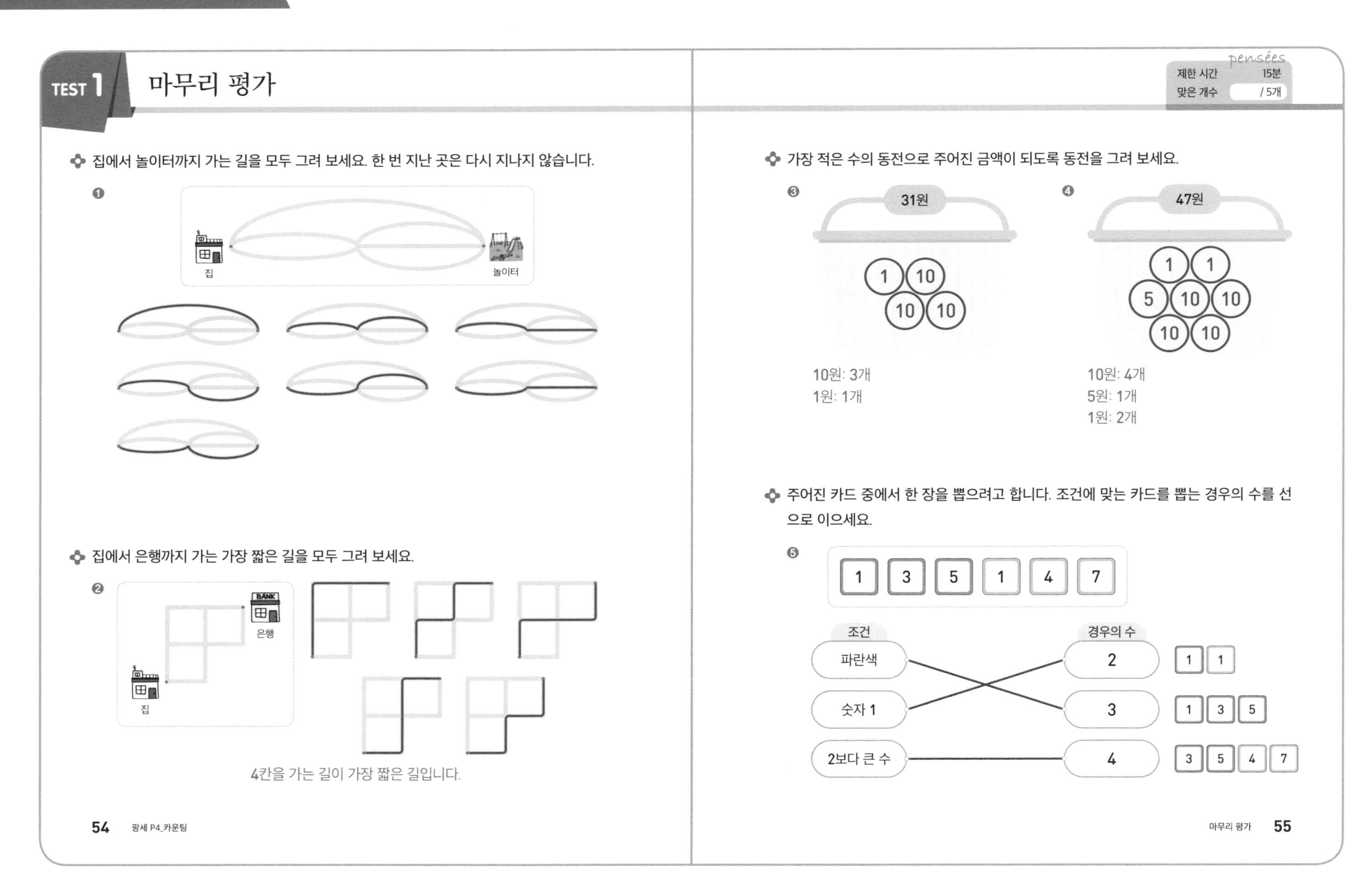

◆ 집에서 놀이터까지 가는 길을 모두 그려 보세요. 한 번 지난 곳은 다시 지나지 않습니다.

❶

◆ 집에서 은행까지 가는 가장 짧은 길을 모두 그려 보세요.

❷

4칸을 가는 길이 가장 짧은 길입니다.

◆ 가장 적은 수의 동전으로 주어진 금액이 되도록 동전을 그려 보세요.

❸ 31원

10원: 3개
1원: 1개

❹ 47원

10원: 4개
5원: 1개
1원: 2개

◆ 주어진 카드 중에서 한 장을 뽑으려고 합니다. 조건에 맞는 카드를 뽑는 경우의 수를 선으로 이으세요.

❺

TEST 2 마무리 평가

제한 시간 15분
맞은 개수 / 6개

✤ 집에서 병원까지 가는 길을 모두 그려 보세요. 한 번 지난 곳은 다시 지나지 않습니다.

❶

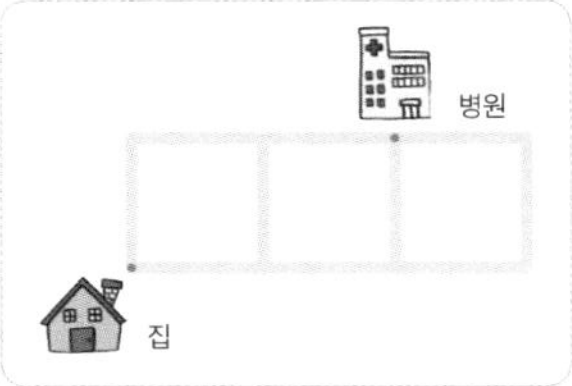

병원

집

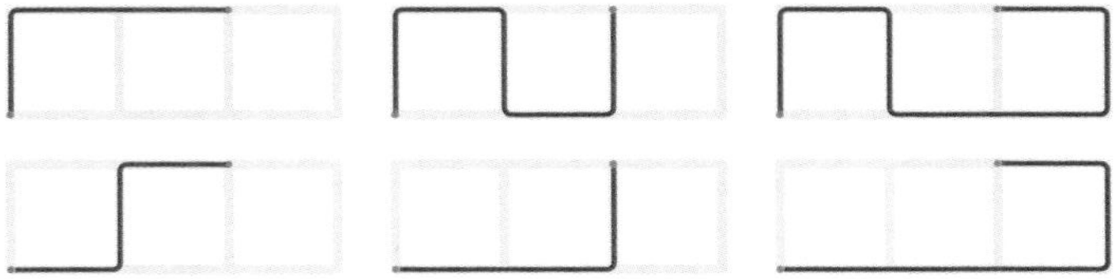

✤ 다음 중 집에서 놀이터까지 가는 가장 짧은 길이 아닌 것에 ×표 하세요.

❷

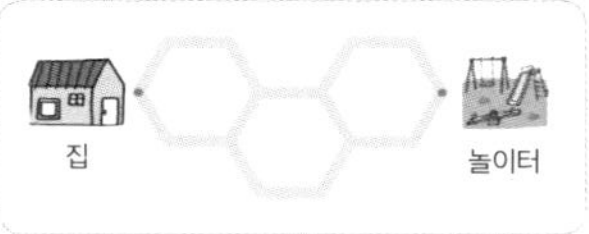

집

놀이터

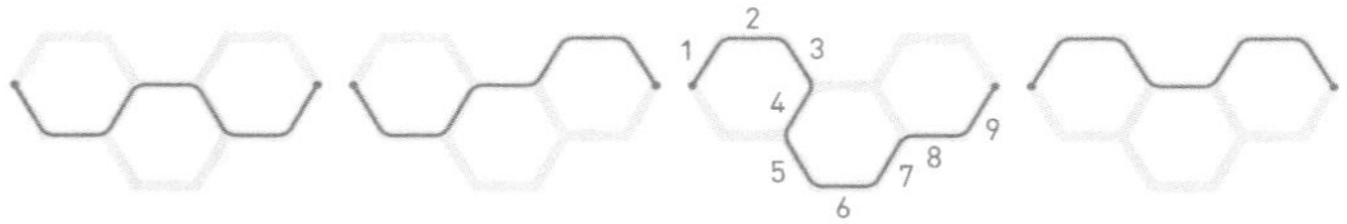

( ) ( ) (×) ( )

7칸을 가는 길이 가장 짧은 길입니다.

✤ 지갑 안의 금액에 맞도록 ◯ 안에 1, 5, 10 중 알맞은 수를 쓰세요.

❸ 39원

1 1 1 1 5 10 10 10

10원: 3개
5원: 1개
1원: 4개

❹ 44원

1 1 1 1 10 10 10 10

10원: 4개
1원: 4개

✤ 상자에서 공을 1개 꺼내려고 합니다. 조건에 맞는 공에 모두 ◯표 한 후 조건에 맞는 공을 꺼내는 경우의 수를 구하세요.

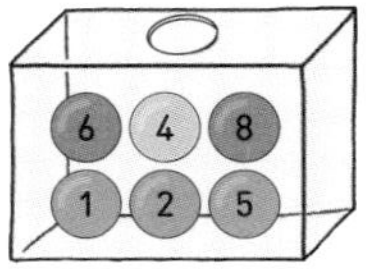

6 4 8
1 2 5

❺ 초록색 공이 나오는 경우

1 2 4 5 6 8 — 2 가지

❻ 5보다 작은 수가 적힌 공이 나오는 경우

1 2 4 5 6 8 — 3 가지

TEST 3 마무리 평가

제한 시간 15분
맞은 개수 / 7개

✤ 집에서 문구점까지 가는 길은 모두 몇 가지인지 구하세요. 한 번 지난 곳은 다시 지나지 않습니다.

❶ 집 문구점 5 가지

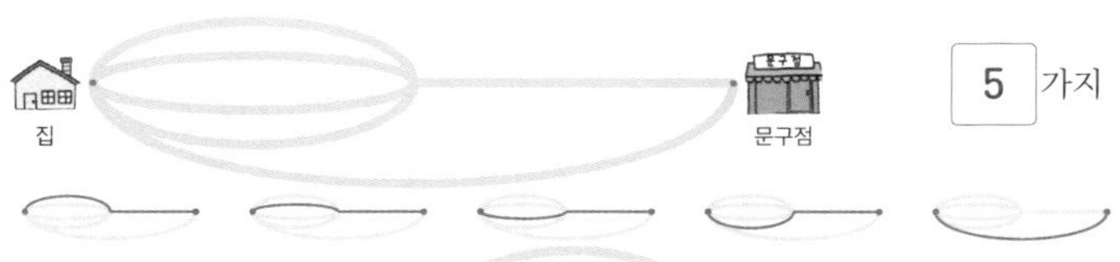

❷ 집 문구점 8 가지

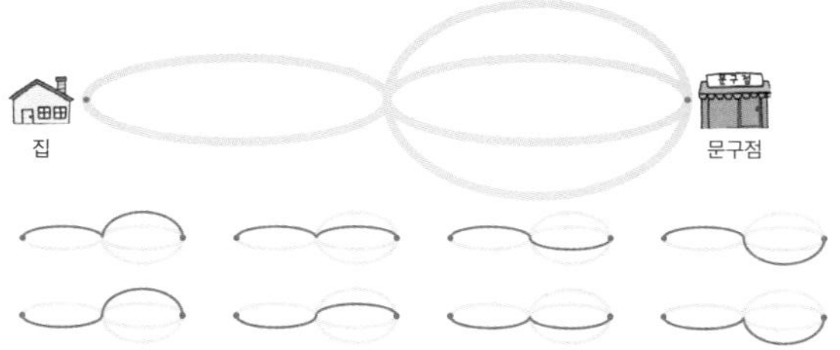

✤ 집에서 마트까지 가는 가장 짧은 길을 모두 그려 보세요.

❸ 집 마트

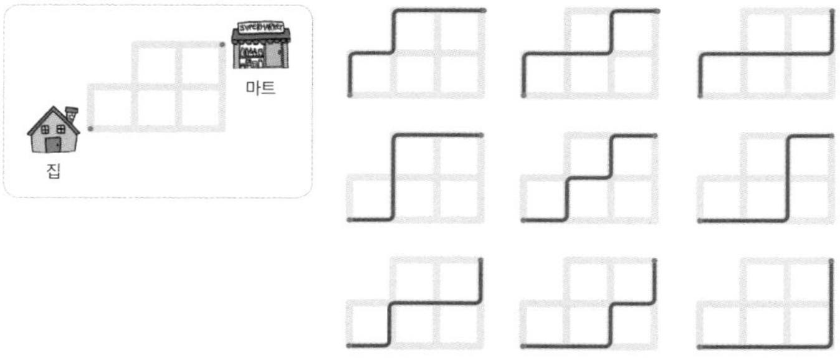

5칸을 가는 길이 가장 짧은 길입니다.

✤ 금액에 맞게 선을 이어 보세요. 선은 가로, 세로로만 그을 수 있습니다.

❹ 33원

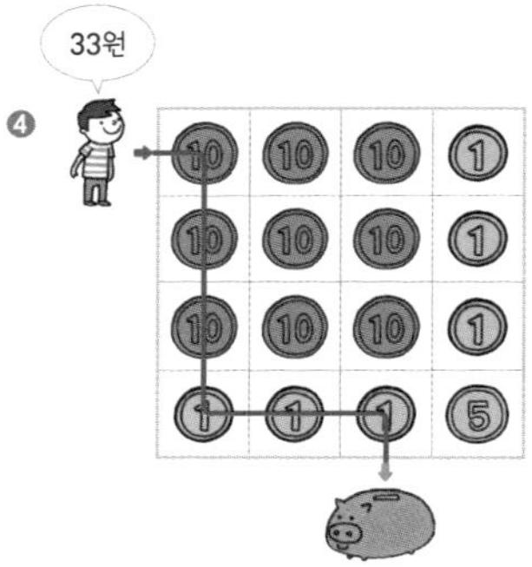

10원짜리 3개, 1원짜리 3개가 되도록 선을 그어 봅니다.

❺ 47원

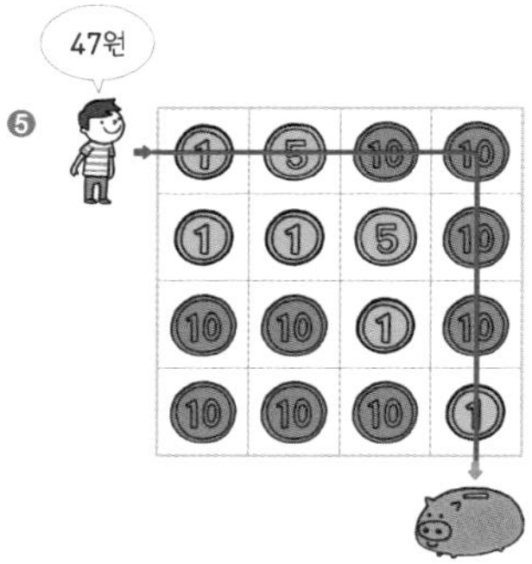

10원짜리 4개, 5원짜리 1개, 1원짜리 2개가 되도록 선을 그어 봅니다.

✤ 주머니에서 공을 1개 꺼내려고 합니다. 다음 중 꺼낼 가능성이 더 큰 쪽에 ○표 하세요.

❻ 노란색 | 초록색 (○)

노란색 공: 2개
초록색 공: 3개
초록색 공을 꺼낼 가능성이 더 큽니다.

❼ 4보다 작은 수 (○) | 4보다 큰 수

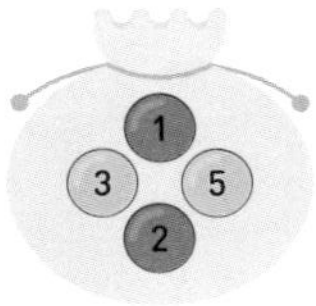

4보다 작은 수가 적힌 공: 3개
4보다 큰 수가 적힌 공: 1개
4보다 작은 수가 적힌 공을 꺼낼 가능성이 더 큽니다.

TEST 4

마무리 평가

제한 시간 15분
맞은 개수 / 5개

✤ 집에서 병원까지 가는 길을 모두 그려 보세요. 한 번 지난 곳은 다시 지나지 않습니다.

❶ 집 병원

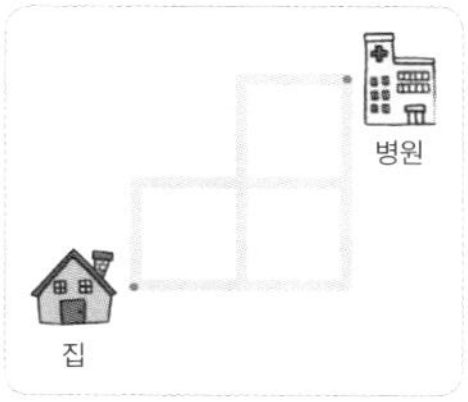

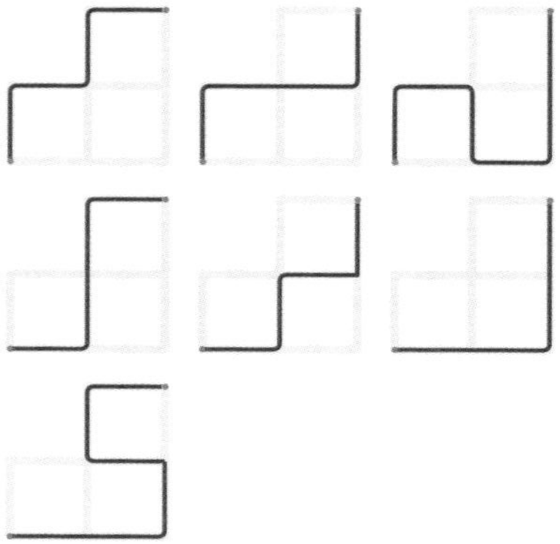

✤ 집에서 놀이터까지 가는 가장 짧은 길을 모두 그려 보세요.

❷ 집 놀이터

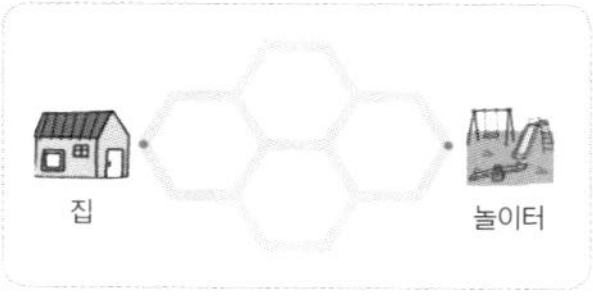

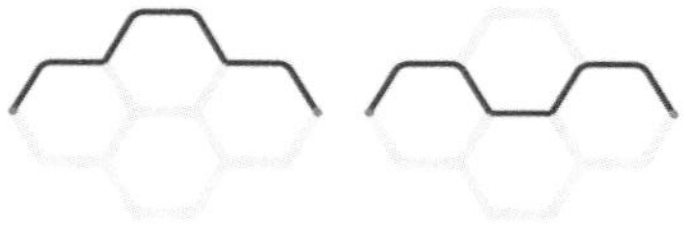

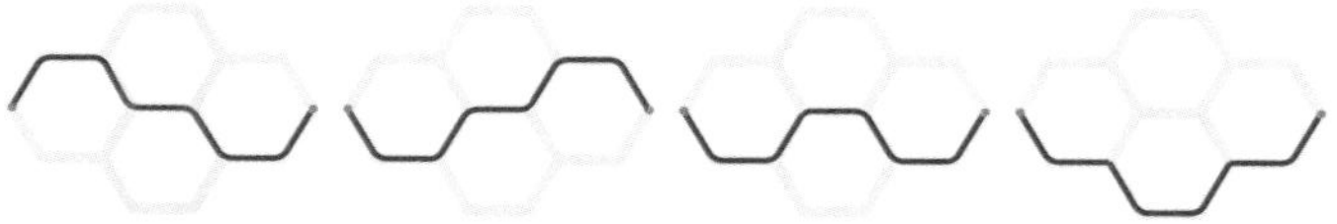

✤ 저금통 안의 금액에 맞도록 ◯ 안에 1, 5, 10 중 알맞은 수를 쓰세요.

❸ 41원

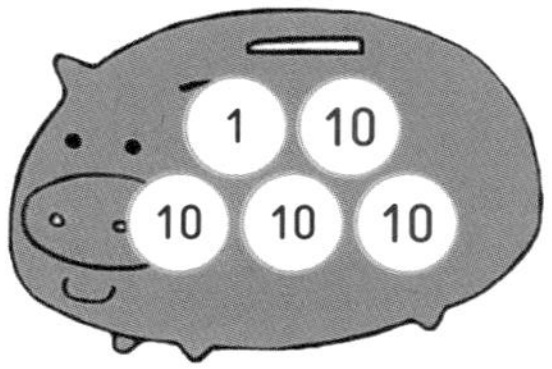

1, 10, 10, 10, 10

10원짜리 4개, 1원짜리 1개가 있어야 합니다.

❹ 29원

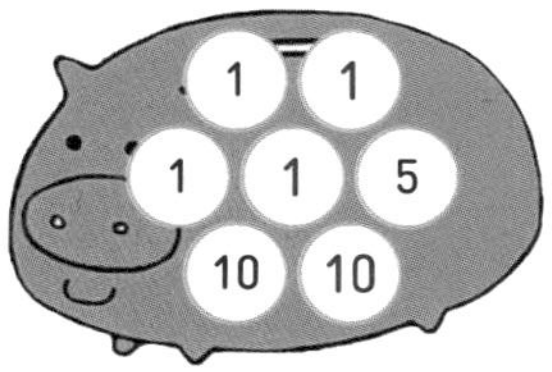

1, 1, 1, 1, 5, 10, 10

10원짜리 2개, 5원짜리 1개, 1원짜리 4개가 있어야 합니다.

✤ 주어진 카드 중에서 한 장을 뽑으려고 합니다. 조건에 맞는 카드를 뽑는 경우의 수를 선으로 이으세요.

❺ 1 2 4 4 4 5 7

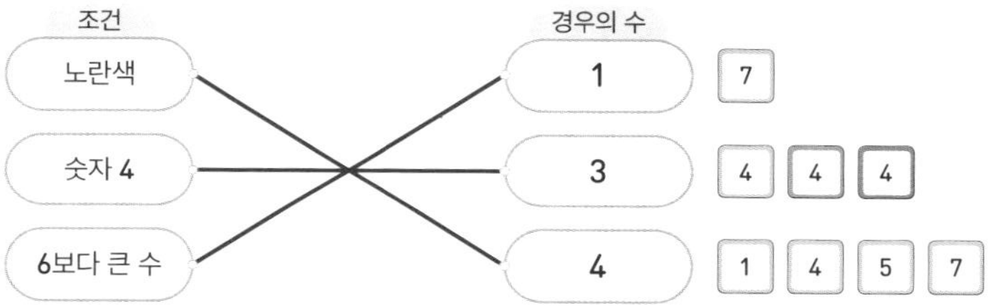

조건	경우의 수	
노란색	1	7
숫자 4	3	4 4 4
6보다 큰 수	4	1 4 5 7

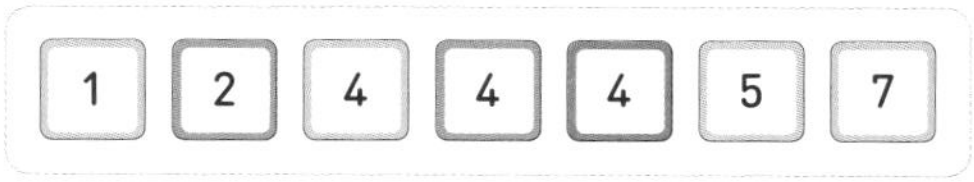

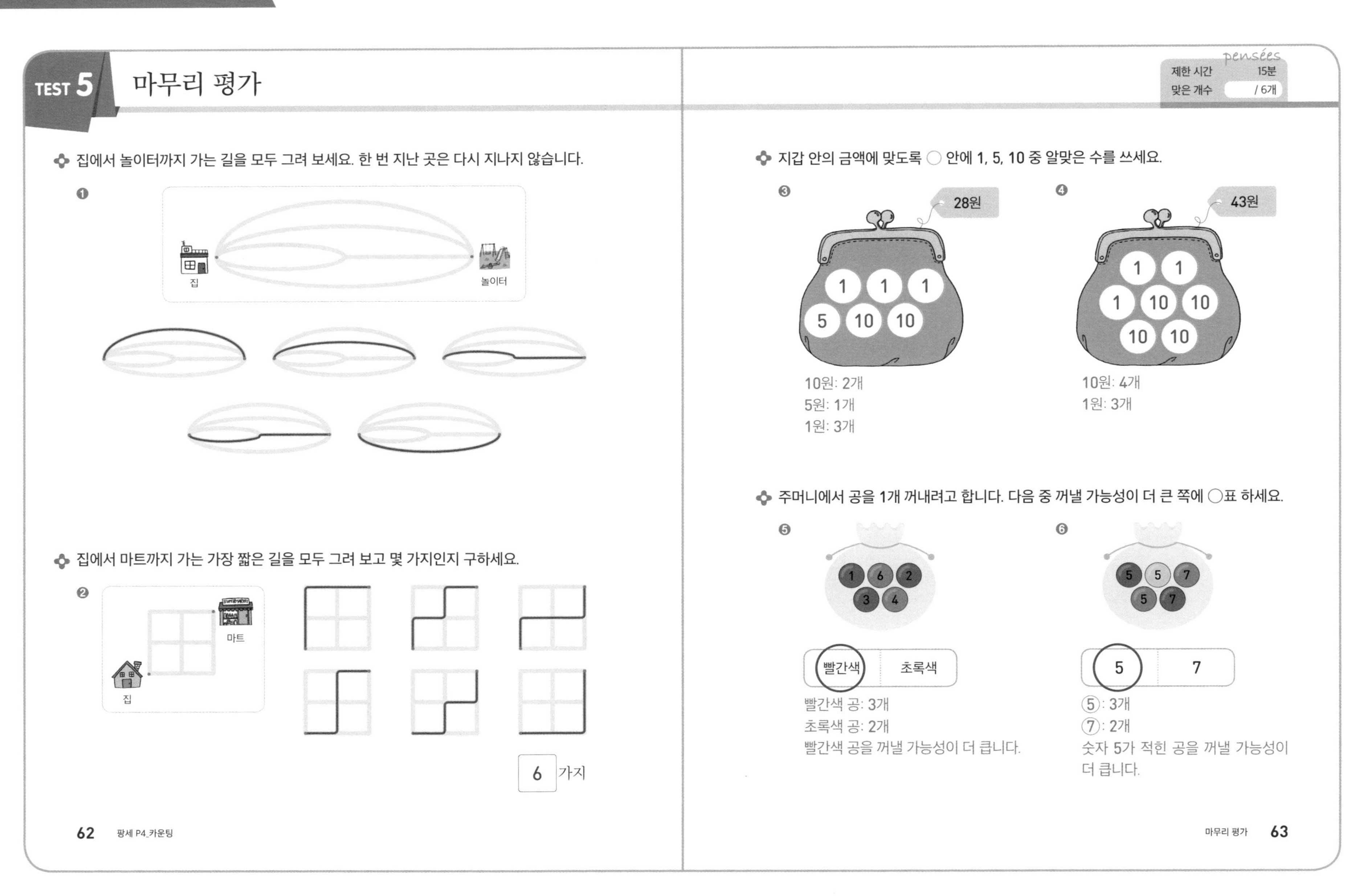

마무리 평가

TEST 5 마무리 평가

제한 시간 15분
맞은 개수 / 6개

✤ 집에서 놀이터까지 가는 길을 모두 그려 보세요. 한 번 지난 곳은 다시 지나지 않습니다.

❶

✤ 집에서 마트까지 가는 가장 짧은 길을 모두 그려 보고 몇 가지인지 구하세요.

❷

6 가지

✤ 지갑 안의 금액에 맞도록 ◯ 안에 1, 5, 10 중 알맞은 수를 쓰세요.

❸

10원: 2개
5원: 1개
1원: 3개

❹

10원: 4개
1원: 3개

✤ 주머니에서 공을 1개 꺼내려고 합니다. 다음 중 꺼낼 가능성이 더 큰 쪽에 ◯표 하세요.

❺

빨간색	초록색

빨간색 공: 3개
초록색 공: 2개
빨간색 공을 꺼낼 가능성이 더 큽니다.

❻

5	7

⑤: 3개
⑦: 2개
숫자 5가 적힌 공을 꺼낼 가능성이 더 큽니다.

pensées

pensées